SOMMAIRE

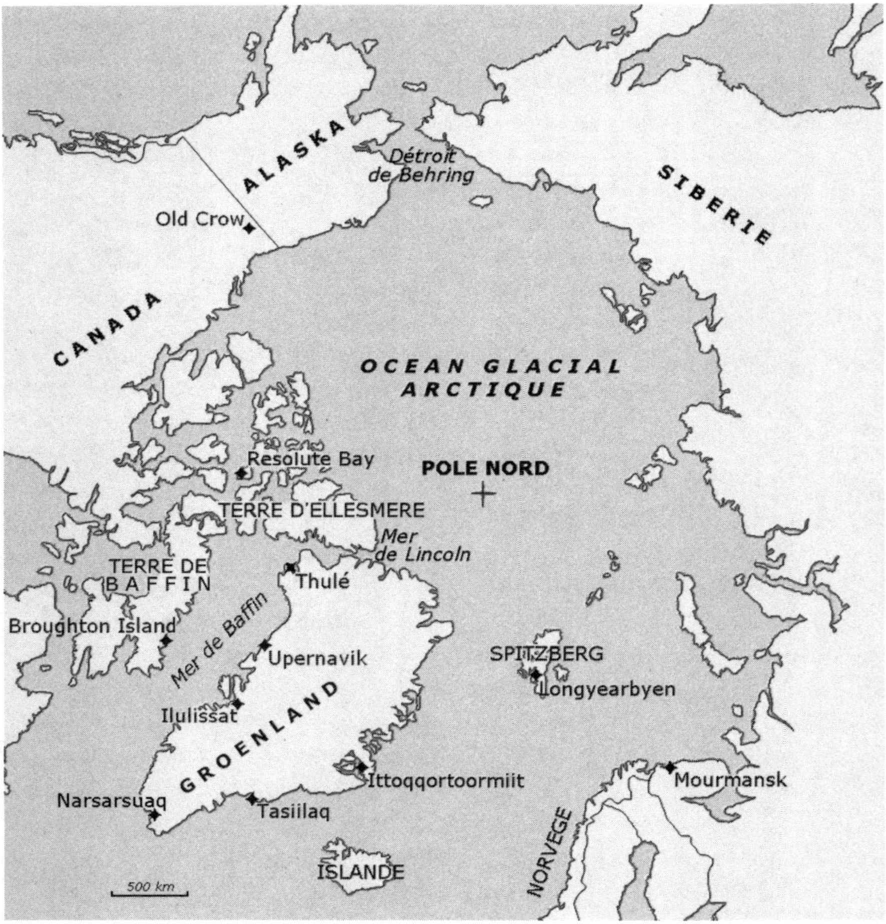
ALASKA
Détroit
de Behring
SIBERIE
Old Crow
CANADA
OCEAN GLACIAL
ARCTIQUE
Resolute Bay
POLE NORD
TERRE D'ELLESMERE
Mer
de Lincoln
TERRE DE
BAFFIN
Thulé
Broughton Island
Mer de Baffin
Upernavik
SPITZBERG
Longyearbyen
Ilulissat
GROENLAND
Ittoqqortoormiit
Mourmansk
Narsarsuaq
Tasiilaq
NORVEGE
ISLANDE
500 km

PROLOGUE

Le monde change. Il change même si vite qu'il paraît inutile d'essayer de s'accrocher à lui, soit pour le suivre, soit pour en modérer la course, et qu'il est certainement préférable de rester là où l'on est. Rien de plus simple que de prendre du recul : il suffit de cesser de se précipiter. Le monde prendra rapidement une telle avance que, sans même avoir choisi de s'en écarter, il se sera de lui-même suffisamment éloigné pour nous dégager la vue. À nous, alors, de prendre le temps de vivre, le temps de lire et, pour les plus vaillants, le temps d'aimer, ledit monde poursuivant de son côté sur sa folle lancée. Et s'il sombre ou se fracasse, peut-être aura-t-il, avec un peu de chance, oublié que nous en faisions partie.

S'il est une matière qui pouvait se permettre de ne pas changer, c'était la glace. Bien sûr, à l'instar de l'eau, elle coule, comparable à la roche, elle s'érode, et sous la caresse du soleil elle s'évapore, mais son cycle était invariable. Sitôt disparue qu'elle se renouvelait, gonflant ou se rétractant au rythme des âges climatiques. Enfant chérie du cosmos, elle apparaissait d'un simple claquement d'étoiles, s'estompait, puis s'étendait à nouveau, en indicateur des pulsations de la Terre. Et chaque inspiration valait dix milliers d'années.

Nous l'avons tous remarqué : le pouls de la Terre bat plus vite. La fièvre monte ; pour la faire baisser la glace fond mais rien n'y fait, la température augmente encore. Un agent pathogène s'est immiscé dans le cycle naturel et en perturbe le mécanisme… La respiration s'accélère ; le vent souffle plus fort, les eaux débordent, les oiseaux s'égarent.

Il y a cinq ans, quand j'écrivais un premier essai sur les glaces, je cherchais à me joindre à la volonté collective de corriger nos torts en adoptant des choix de vie plus respectueux de la Terre à laquelle nous devons tant. J'ai joint ma voix au concert des protocoles, des pactes, des sommets et des « Grenelle », y ajoutant une pédagogie bien singulière : il s'agissait, en se laissant dériver sur une plaque de banquise au large du Groenland, de montrer l'exemple, l'acte de bravoure devant convaincre de la justesse de la cause. Ce fut l'aventure des Robinsons des glaces.

Cinq ans ont passé. Les Al Gore et Hulot ont tapé du poing, furent écoutés, mis de côté, et les choses ont repris leur cours habituel. La leçon à retenir de ces années que l'on disait décisives, c'est qu'il est inutile d'attendre le salut du pouvoir politique ou d'un personnage médiatique, et que l'humanité n'évoluera pas vers la raison du seul bénéfice d'une « prise de conscience ». Il est possible, effectivement, que l'avenir du climat sur lequel nous avons une telle influence se soit joué au cours de la première décennie de ce siècle. En ce cas, nous avons perdu. Et comme nous n'aimons pas perdre, nous retournons à des jeux qui nous sont plus familiers, et d'autant plus rassurants qu'ils ne changent jamais : emploi, pouvoir d'achat, sécurité, dette, immigration, voilà qui pourrait nous occuper quelques siècles encore si le ciel nous en laissait le loisir. Agir sur le climat, ou seulement en nourrir l'intention, c'est moins facile. Le climat n'est pas à notre portée. Il n'entend rien à nos affaires courantes.

Cinq ans après, nous avons constaté que les industriels et les élus n'ont pas déployé les moyens nécessaires à la politique qu'ils prétendaient défendre. Les nations n'ont pas su se mettre d'accord sur l'effort à consentir, et quand bien même y seraient-elles parvenues, nous n'aurions pu enrayer l'augmentation constante de la demande en énergie et les émissions de gaz à effet de serre qu'elle induit. Si le gaz carbonique est bien l'ennemi à vaincre – sous forme de charbon ou de pétrole, ce gaz dormait depuis des millions d'années dans le ventre de la Terre avant que nous l'en expulsions – force est de constater que nous n'avons pas mis beaucoup d'ardeur à la tâche : chaque année, le monde bat son propre record d'émissions de carbone. Les combustibles fossiles placent à notre disposition une énergie formidable dont nous ne savons ni ne voulons nous passer. Et le vœu pieux de mettre un terme à la gabegie ne sert qu'à faire bonne figure quand la mode est à l'écologie. Une démagogie à la petite semaine qui ne nous conduit nulle part, sinon dans ce fameux « mur » auquel se réfèrent les personnes clairvoyantes.

En apprenant toutes ces histoires, au début des années 2000, le public a cru bien faire en surveillant sa consommation de légumes hors saison et d'eau chaude. Il a été « sensibilisé » avec tant de zèle qu'il a fini par se sentir coupable. Coupables, nous le sommes tous, mais la bonne foi de chacun n'est pas d'un grand secours dans un monde qui n'est qu'une gigantesque invitation à consommer et dans lequel on ne peut faire trois pas sans polluer. Et puis, pourquoi demander au commun des mortels de se réguler alors que pas une loi ne met de barrière à l'exploitation sauvage de la ressource ? Personne n'a l'intention d'obliger Gazprom en Sibérie ou British Petroleum au Nigéria à éteindre leurs torchères, qui pourtant suffiraient à elles seules à alimenter un continent. Notre énergie – notre chauffage, notre confort, nos transports – et notre sort sont entre les mains de canailles entretenues par notre complaisance.

Il n'est plus de bon ton de croire en un avenir écologiquement responsable. La cause a cessé de défrayer la chronique. Les « climato-sceptiques » eux-mêmes s'en trouvent désarmés, faute d'adversaires. Et si l'on n'en parle plus ce n'est pas parce que nous sommes assez naïfs pour penser que la situation s'est améliorée d'elle-même ; l'incohérence tant de nos étés que de nos hivers raviverait notre mémoire s'il en était besoin. Nous ne parlons plus de gaz carbonique et de climat parce que les ténors de l'écologie n'ont pas su incarner l'espoir qu'ils ont éveillé, et que nous voilà de nouveau seuls, absolument seuls, sans modèle, sans leader, que nous ne savons pas quoi faire et que, faute de pouvoir agir, nous préférons penser à autre chose.

Notre destin s'écrira à peu de chose près tel que l'ont décrit les scientifiques. Le climat va continuer de se dérégler, les banquises éternelles du pôle Nord disparaîtront : elles étaient le symbole de notre ère. Des espèces animales emblématiques partiront avec elles, les océans monteront en même temps qu'ils se videront et les ressources alimentaires seront moins abondantes. Nous ne nous promènerons plus à droite et à gauche à travers le monde comme nous en avions pris l'habitude, et réapprendrons à vivre avec moins d'aisance. Les hommes se resserreront autour de cellules plus petites, de communautés de culture ou d'affinités, et rechercheront des réponses où ils pourront. Il y aura du bien, du mal, dans quelles proportions je l'ignore, mais la vie sera vraisemblablement plus âpre ; de cette âpreté devrait aussi ressortir quelques motifs de satisfaction. De ce dont nous bénéficions aujourd'hui, charge à nous de sauver l'essentiel, car nous ne pourrons tout conserver. Mais qui suis-je pour affirmer cela ? Je ne sais rien, je me trompe, nous nous trompons tous, nous ne percevons qu'une part très étroite de ce qui se passe. L'histoire s'écrira telle qu'elle doit s'écrire, n'en parlons plus.

Dans ces bouleversements qui nous attendent, il y a une condamnée dont il faut prendre le temps de conter l'histoire : la banquise. L'appel des glaces, c'est l'appel du Nord, la fascination des sommets et des déserts, le cri de l'âme. C'est le récit de notre connivence avec ce lointain transparent, où la mort et la félicité se rejoignent, carrefour de nos rêves les plus inabordables, seuil du passage vers l'au-delà. La glace qui conserve intactes les chairs malgré le temps préserve aussi les secrets ; peut-être fallait-il l'amener à fondre pour qu'elle en délivre quelques-uns.

Souvenez-vous. Coincé dans votre siège, vous voliez à dix mille mètres d'altitude en direction de l'Extrême-Orient ou de l'Amérique du Nord et en attendant, pensiez déjouer l'ennui en visionnant une vidéo quelconque. Puis, un peu machinalement, vous avez relevé le volet du hublot. Et là… Là, vous avez vu ce que vous n'auriez jamais cru voir.

Entrelacs de crêtes acérées entre fjords hallucinés et glaciers d'abîmes ; chaos primaire et sépulcral, émergences farouches de roches déchirées, mers noires entrecoupées d'isthmes, miroir obscur des glaces grises comme des yeux, tranchées de crevasses, plis et fractures, brouillon indescriptible d'une planète d'avant le monde, étalage infini de violences minérales et glacées, sublimes horreurs, spectacle désastreux d'un âge que l'on croyait révolu mais qui, là, irréel et saisissant, impose son inviolable ampleur. Rivages monstrueux, barrières de montagnes, océans transis. Ainsi des Baffin, Spitzberg, Ellesmere et Groenland.

Le spectacle vous a happé, vous ne trouviez pas les mots tant la beauté étalait de puissance. Magnifique ? Saisissant ? Que diriez-vous encore, sublime ? Vous pouviez user de tous les superlatifs, vous saviez que vous ne descendriez pas. Votre destination était beaucoup plus humaine, et ce bref survol ne laisserait pas en vous d'autre trace qu'une image spectaculaire. La première fois que j'ai vu pareil déballage d'horizons glacés et minéraux, je n'ai pas trouvé cela beau. C'était monstrueux, hideux, infâme. Insoutenable. Je fixais l'abîme, les yeux brûlants... Et j'ai prié pour que le pilote poursuive le vol.

Votre avion a continué sur sa route, vous pouvez vous en réjouir. Le mien est descendu. Là-dedans. J'étais seul et dans ma tête défilait le contenu de mon sac. Pulls, gants, cagoules, qu'il manque un maillon de mon équipement, et je mourrais. Que le réchaud tombe en panne, que l'arceau de la tente se brise, que je n'aie plus de quoi me protéger, et je mourrais. Et même si aucun matériel ne manque, je mourrais quand même car rien ne peut vivre dans une telle horreur, et moi encore moins. Pris de panique, j'aurais tout donné pour que l'avion fasse demi-tour. Mais il était trop tard.

Première partie

LA NATURE

C'est ainsi qu'une belle nuit de juin, alors que le soleil brillait au nord, je débarquai à l'aéroport de Longyearbyen en contrebas duquel je m'installai, face à la mer. L'angoisse qui dans l'avion me comprimait s'était évanouie. Je me sentais apaisé alors même qu'à l'horizon, la côte hérissée de montagnes et intégralement gelée me présentait la réalité à laquelle j'allais me confronter. Le désir d'une rencontre passionnelle avec la nature m'avait aveuglé, avait mobilisé mes énergies comme si les obstacles que je m'attendais pourtant à rencontrer n'existaient pas. La conviction que j'échapperais à tout accident avait refoulé la peur sans tenir compte de ses avertissements. Je connaissais les ressources sur lesquelles je pouvais compter. J'étais monté au Spitzberg pour vivre, vivre comme je n'avais encore jamais vécu, non pour m'abîmer. Au pied du mur, je ne m'alarmais de ce qui m'attendait que pour la forme, pour me resituer dans le contexte de mes limites humaines, mais dans ma détermination je n'avais peur de rien.

Avec le recul, j'aurais plus à dire de ce périple que lorsque je l'ai vécu, plus peut-être que lorsque je l'ai relaté dans le récit *Maelström, seul aux confins du Spitzberg* où je jugeais nécessaire l'intrusion du romanesque pour déjouer les poncifs d'une expérience à mes yeux trop naturelle pour être remarquable. Je vois à présent dans ce voyage l'expression d'une sincérité pure, d'une bravoure sans égal. Je collais à la glace, au vent, au soleil ; soulevées par les bourrasques, mes visions rencontraient les falaises, se fracassaient contre les récifs, se dissolvaient dans les grands fonds. J'étais moi, non pas autre. J'aimais mon bateau plus que tout au monde. Mon kayak était un véritable navire, même si les quatre-vingts jours de rations tassées dans l'habitacle m'autorisaient tout juste à y glisser les jambes. Quatre-vingts jours à tutoyer le cristal, le corps solidaire d'une enveloppe de frêne et de toile, amant de la mer qui me tenait.

J'évoluais dans un poème. Comment dépeindre sans l'attiédir cette grandeur primitive qui confère aux latitudes extrêmes leur majesté ? Rien n'est plus puissant qu'un glacier. Rien n'est plus gratifiant que de sentir le froid prêt à vous saisir, l'épuisement vous surprendre, et de caresser malgré cela le bonheur. En de tels lieux, si bruts et si austères, tout est acceptable. Bien des sévérités sont des indulgences quand elles mènent à soi. Le Nord ne rançonne pas, n'accuse pas, mais exige ce que nul autre milieu n'exige avec tant d'intransigeance : l'accomplissement de soi.

« L'Arctique force à l'équilibre. Pur et rigoureux, il remet le cœur en place », notais-je. Une expédition solitaire vaut bien des baumes et des thérapies. J'étais jeune. J'étais seul. Triste, mais n'en pouvant plus d'attendre de ce que je ne savais trouver, je reportais mes désirs sur l'exploration géographique. Les émotions macéraient dans mes pensées, pour le meilleur, me disais-je, imaginant en sortir un substrat digne d'être lu. Pour le pire quand mes nostalgies se ranimaient, n'aboutissant à rien, à personne. La glace, elle, était là. Je me couvrais pour éviter qu'elle ne me transisse, me consolant d'aimer cette matière qui, sans pour autant me blesser, ne répondait à mes velléités que par le froid et la distance.

Je vivais de peu. Alimentation rudimentaire, inconfort et précarité étant les conditions même du voyage, je n'en souffrais pas. Je m'étais accommodé du dénuement au point de ne plus le voir, et de trembler de froid sans y trouver d'inconvénient. Les choses avaient leur place et le silence dénouait le temps.

Au lever, allumer le feu, faire de l'eau, sortir les vivres puis les reconditionner. Ensuite, plier la tente et ranger son contenu dans les sacs étanches, enfiler la combinaison sèche, amener le kayak sur la grève et le charger. Trois heures de travail avant le premier coup de pagaie. Chaque geste, dont j'appréciais instantanément l'effet, contribuait à me rapprocher du but que je m'étais fixé. Chaque geste avait un sens et pour ne pas le perdre, je le répétais. Un coup de pagaie, c'était cinq mètres de gagnés. Cinq mètres qui m'éloignaient du passé dont je ne voulais plus ; cinq mètres qui me rapprochaient de l'avenir que je convoitais.

Ainsi, étape après étape, je me construisais. Tâche d'autant plus gratifiante que l'environnement était retors. Une mer méchante, des montagnes crues, un ours probable. Une eau dure, des criques délabrées, un front tremblant. Puis, ce soleil inédit sur une plage de galets, le vol vrillé d'une brassée de mergules, le murmure ombrageux d'un glacier, et la liberté d'être là, intégral, à l'image de ce que je voulais, créé par une nature campée sur elle-même et qui ne se laisse approcher que par une poussière d'hommes.

Viser la plus haute latitude possible était ma façon de simplifier le monde. Quelques rochers, mon embarcation étroite, la mer, la glace, puis rien ; une sobriété qui rend moins âpre la charge d'exister. Quand je pagayais, je me sentais libre. Je ne craignais pas de commettre une erreur et n'en commettais pas. Mon esprit ignorait l'encombrement. Parce qu'il était question de survivre, je n'avais emporté que le strict minimum ; et, comme je l'espérais, cette discipline libéra tant d'heures et tant d'espace, tant de paix, que je me mis à vivre.

Après sept semaines de périple côtier, j'étais au seuil du 80e degré de latitude nord. Pour quoi ? Pour m'apercevoir qu'il n'était pas possible d'aller plus loin. Je redescendais vers la station scientifique de Ny Ålesund avec la joie de revenir sain et sauf, mais non sans amertume. Le monde était fini. Fini. J'avais vingt-six ans et j'en avais atteint le terme.

Pour les hommes qui vécurent avant l'essor industriel, le principal attrait du monde tenait à ce qu'ils n'en mesuraient pas les limites. L'inconnu, le mystère, l'inaccessible étaient terrestres. Désormais, la Terre n'est plus qu'un jouet qu'il faut veiller à ne pas casser. Le pôle Nord lui-même, l'un des tout derniers bastions de l'inexploré, est à la portée de n'importe qui de passablement aisé. Pour le rendre moins docile et lui redonner un peu de piquant, des individus dans mon genre s'amusent en se passant temporairement du bénéfice du progrès. Simple délicatesse d'oreille : le clapotis de l'eau froissée par la pagaie est tellement plus doux que le ronflement d'un moteur ! Simple délicatesse, oui. Pour faire oublier un moment à la Terre qu'en tant que représentant de l'espèce humaine, j'ai le pouvoir de la vider de son sang et de me jouer d'elle, d'enjamber ses océans et ses montagnes selon ma fantaisie, légitime à me plaindre au moindre retard dans la livraison de l'avantage dont le progrès m'a garanti le bénéfice.

Arriver au bout du monde à vingt-six ans, c'est fâcheux. Surtout quand on y a mis du cœur. La confiance en soi acquise par l'effort doit souvent être confirmée par un autre effort, plus grand. Pour m'assurer d'être moi-même, j'étais tenté de repartir, plus loin et plus longtemps. Plus loin, cela devenait difficile, plus longtemps aussi : deux semaines de séjour supplémentaire et la mer recommence à geler. Il faudrait alors passer du kayak aux skis, ou employer les deux. Entreprendre un tour du monde par-dessus le cercle polaire et ne jamais s'arrêter. Celui qui passerait sa vie à traverser la Sibérie, le Groenland et le Canada en arriverait, une boucle après l'autre, par retomber sur ses propres traces. Il prendrait des habitudes et finirait par se demander s'il n'aurait pas mieux fait de longer un méridien.

Une question depuis ce temps me taraude : que produire ? Où est le nouveau ? Quelle manifestation de son énergie serait à même de servir au mieux le monde ? Il me semblait connaître la réponse, mais par intuition, sans pouvoir la formuler. Je sentais qu'il existait une dimension déterminante dans laquelle m'engager, mais plus difficile à aborder que celle dont je revenais. Si je ne la trouvais pas, mon sort était scellé : je finirais accompagnateur d'expéditions touristiques. Lire une carte, faire la tambouille, raconter des histoires… Le sommet aurait été atteint au cours de mes 26 ans, et après… Soit la stagnation, soit la surenchère. Je ne voulais ni de l'une, ni de l'autre, et sans perdre ce avec quoi mes expériences glaciales m'avaient fait entrer en contact.

Un glacier est une présence. Un glacier témoigne de la force tutélaire comme de la fragilité. Un glacier ne se navre pas en se délitant ; il énonce le cours des choses. Un glacier a pour produit la transparence.

Mais pour arriver au cristal, que de roches arrachées, que de boues retournées ! Que de pressions, de déchirements et de violences… De près, la glace léchée par la mer et le soleil, puis échouée sur une plage, présente des reflets aussi variés que les fines fractures qui les produisent. De plus près encore, aux lignes de fissuration se superposent les ovales de minuscules bulles prisonnières de l'eau gelée ; il en résulte des dessins d'une rare finesse, des tableaux d'une maîtrise sans égal. Il arrive même que les gris délicats du verre, assemblés aux bleus et aux argents de la lumière, composent une image de la pensée.

Il ne me semble pas que la poésie soit encore de ce siècle. J'entends par poésie la sensibilité au monde et aux beautés de la nature ; beauté et nature n'intéressent plus que la propagande commerciale. Quand je retourne à la minéralité polaire, je ne me sens pas menacé dans ma sensibilité, mais au contraire encouragé, car aussi brutal que soit le monde naturel, la sensibilité y a sa place, y a toute sa place : ceux qui s'acclimatent aux territoires inhospitaliers ne sont pas les plus rudes d'entre nous, mais les plus sensibles. Les sens aiguisés pressentent, avertissent du danger comme du refuge, ils comprennent la paroi de granit, le vent et la neige fouettante ; ils reconnaissent la trace de l'animal, en déduisent son chemin, son âge, son humeur. Plus l'environnement est brut, plus il produit d'esthètes, de braves et de romantiques, de ces gens qui écoutent et s'adaptent. Dans l'Arctique, ce sont les plus éveillés qui ont les meilleures chances de survivre. Au contraire de ce que nous observons dans nos sociétés. En ce sens la nature sauvage est plus propice à l'esprit de civilisation que la civilisation elle-même, ce qui explique que les peuples premiers produisent souvent de grands sages. Et s'il est une façon d'être et de penser qui, en Occident, proposa un juste rapprochement entre l'homme et la nature, une harmonisation intime de l'un avec l'autre, ce n'est pas l'écologie telle qu'on la comprend aujourd'hui, mais le romantisme.

Je n'ai jamais vu la nature comme un objet d'argument politique ; je n'ai jamais vécu ma passion de jeunesse pour les escapades champêtres et pour les oiseaux comme un outil de pression, un matériau de dogme. Mais j'aimais l'art et la philosophie. Et j'étais, surtout, « romantique », imbibé de nostalgie alors que j'avais à peine vécu, certain de la puissance de l'amour dont je ne savais pourtant rien. Ou du moins, oui, je connaissais l'amour, mais par intuition, comme chacun de nous qui le recherche en possède une compréhension tout à fait parfaite et inaltérable alors même que la vie nous éloigne de sa réalité à mesure que passent les expériences et les années. D'où vient cette intuition de l'amour que rien ne parvient à déraciner ? De la nature, me semble-t-il. Ainsi la qualité de la relation que nous entretenons avec elle serait représentative de la qualité de notre amour.

J'avais de mon côté la nature, donc, ou du moins ce qu'il en restait. Elle m'a aidé à passer les premiers caps. J'ignorais qu'un jour je me rendrais bien au-delà de la campagne et des forêts, et que ma vie se construirait sur des terres de glace. Mais c'est bien la nature et elle seule qui m'a aidé, de par le lien à la fois vécu et rêvé qui se nouait entre mes appels intérieurs et le soleil, et que je matérialisais sous forme de balades attentives, d'apprentissages naturalistes, de poèmes griffonnés.

Notre temps n'a rien compris à la nature. Tout ce qu'on dit d'elle est faux. C'est aussi faux que si pour parler de l'homme nous devisions de son squelette, de ses défenses immunitaires ou de l'élasticité de ses muscles. L'écologie politique n'apportera aucun remède à ce qui sépare désormais l'homme de la nature parce qu'elle est elle-même séparée. L'écologie juste n'a pas de titre, pas de parti, elle est intuition d'amour. Aucun mouvement culturel n'a abordé aussi finement le dialogue de l'homme avec la nature que le romantisme, j'en veux pour exemple ce qu'il a produit lorsqu'il a intégré le paysage polaire dans son espace, montrant ainsi que la compréhension réelle du monde n'est possible que par la sensibilité.

C'est dans l'Arctique que l'homme fera face à la matérialisation la plus suggestive de son intériorité, qu'il affleurera au plus près les limites au-delà desquelles plus rien n'est connu. La mort et l'absolu convergent sous les plus hautes latitudes, soumettant terres et océans à leur implacable esthétique. La glace polaire présente à l'homme un miroir dans lequel il voit au-delà de lui-même. Ceux qui ne fuiront pas seront fascinés et n'auront de hâte que de pousser plus loin l'expérience, que d'approcher l'indicible au plus près, de toucher l'extrait d'âme pure.

Le romantisme ne connaît pas le nombre et le graphique, il n'impose pas de règles, il donne à contempler pour toucher le cœur et, devant le plus grand que soi, s'incline. Dans leurs toiles, les peintres du XIXe siècle montrent l'homme réduit à quantité négligeable sous l'arène céleste ; voilà son navire perdu sur l'océan glacé, tel un jouet, jouet de ses propres illusions comme des puissances élémentaires. Parfois, il lutte, le trois-mâts gardant le cap dans la mer déchaînée, mais le plus souvent, le ciel est serein, transparent ou tirant vers l'ocre, et sous le ciel, en tout petit, le navire de l'humanité croise vers le Pôle. L'exploration polaire en métaphore de notre destinée collective. Or devant les glaces, le peintre s'arrête. Il peine à introduire un sujet humain au sein du temple. Et lorsqu'il le fait, à l'instar de Friedrich, Church ou Biard, ce n'est que pour en représenter un relief. Ici un débris de mat broyé par un chevauchement de banquises, là des corps sans vie sur un promontoire enneigé, écrasés par le paysage proéminent. Voilà le romantisme. Il remet chacun à sa juste place mais sait qu'au-delà de l'homme et de la nature même il y a la sensibilité, l'âme, et son véhicule l'inspiration.

La jeune Mary Shelley fut bouleversée un jour de l'été 1816 qu'elle se rendit dans le massif du Mont-Blanc. Contemplant la Mer de Glace, elle ne se doutait pas que de son émotion allait naître un chef-d'œuvre. Certes, son personnage a transgressé les lois. En bon

Prométhée moderne, Victor Frankenstein a dérobé le feu et a donné vie à un monstre. Il n'a pas respecté le sacré et le voilà victime de sa funeste ambition, sa créature se toquant d'assassiner sa famille et précipitant le docteur dans une vertigineuse fuite en avant. Mais surtout, *Frankenstein* figure parmi les plus belles références à la glace dans la littérature, et l'une des très rares tentatives d'attribuer à cette matière captivante et redoutée une signification symbolique.

Le premier personnage qui apparaît dans le roman, un certain Walton, ne voit pas dans la glace une destination mais un obstacle, la barrière de néant à traverser avant d'accéder au paradis. Par-delà les banquises, l'explorateur pense découvrir « le pays de la beauté et de la joie » ; aussi navigue-t-il plein nord avec le cœur empli d'enthousiasme. En ce temps – l'action se situe à la fin du XVIIIe siècle – le mystère restait entier sur la nature réelle des Pôles, et si la plupart des scientifiques estimaient que la banquise s'y étendait à n'en plus finir, d'autres défendaient l'existence d'un continent intouché et prospère. Mais le rêve de Walton n'est rien d'autre qu'une chimère ; au bout de quelques jours d'une navigation hasardeuse, le voilà prisonnier de la banquise.

Loin d'être une brute gesticulante et sanguinaire, la créature du docteur Victor Frankenstein, d'un naturel doux et d'une culture raffinée, déborde de générosité à l'égard des humains dont elle aimerait tant pouvoir se dire le semblable. Mais, affublé d'une épouvantable hideur, provoquant l'effroi partout où il apparaît, le géant n'est pas vu pour ce qu'il est véritablement, mais comme le monstre qu'à force de rejet, de solitude et de détresse il est amené à devenir.

« Crois-moi, Frankenstein : j'étais bon ; mon âme rayonnait d'amour et d'humanité ; mais ne suis-je pas seul, misérablement seul ? Toi-même, mon créateur, tu m'abhorres ; quel espoir puis-je mettre en tes semblables qui ne me doivent rien ? Ils me méprisent et me haïssent ! » ; aussi la créature trouve-t-elle asile dans les hauteurs des Alpes, là où nul ne viendra la harceler. Elle confie à Frankenstein : « J'ai pour refuge les montagnes désertes et les glaciers sauvages. J'y erre depuis de longs jours ; les grottes de glace, que je suis le seul à ne pas craindre, sont ma maison, la seule que l'homme m'abandonne sans regret. Je salue le ciel glacial, car il m'est meilleur que tes semblables. »

La glace apparaît comme le refuge des âmes sensibles. Honnie par le commun des mortels, elle est le domicile des cœurs blessés, fussent-ils monstrueux, et le ciel alourdi de cristaux paraît déposer un baume de givre sur les yeux rougis. Pour les romantiques, le froid est moins douloureux que le rejet de l'amour, et la morsure du blizzard reprend à son crédit les tremblements de l'angoisse.

La créature n'abandonnera la protection de ses glaciers alpins que pour semer la mort, dans le but de contraindre Frankenstein à créer un être semblable à lui et dont il pourrait être aimé. Devant le refus obstiné du docteur, le géant assassinera sa jeune épouse puis prendra la fuite à travers l'Europe et l'Asie, où Frankenstein le poursuivra sans relâche afin de l'abattre et de réparer sa propre faute. Rapide et pratiquement invulnérable, c'est en vérité le monstre qui mène le jeu. « Suivez-moi ; je me dirige vers les glaces éternelles du Nord, où vous trouverez la souffrance du froid et du gel qui ne m'atteignent point », lance-t-il en ultime défi. Les glaces où le monstre entraîne son inventeur coiffent le monde de leur éternité funèbre. Inatteignable par la vie, le pôle Nord assure à celui qui s'y rend une mort à la mesure de son fardeau. Il est le pinacle de la quête de l'amour impossible, la délivrance de la malédiction d'exister.

Là-haut, à « l'extrémité la plus septentrionale du

globe », le monstre brisera son traîneau pour rassembler un bûcher et se réduire lui-même en cendres. Quant au docteur Frankenstein, il croisera sur sa route le navire de Walton captif des glaces, mais les soins qu'il y recevra ne l'empêcheront pas d'expirer. Tout juste aura-t-il le temps de relater son effroyable histoire.

Le Pôle glacé, sommet des quêtes et des errances, devient sous la plume de Mary Shelley le lieu où les tourments atteignent leur paroxysme et trouvent leur dénouement. En s'immolant par le feu, la créature ne fait pas que nettoyer la planète de sa sinistre existence, elle transcende sa blessure pour en dégager une lumière céleste. Une telle fin est une façon de sublimer le désespoir, de faire en sorte que tout amour perdu sur Terre puisse être rendu, dans sa pureté initiale, au silence des astres.

Cette histoire qui doit sa célébrité à des paramètres fantastiques bien plus qu'au rôle qu'elle donne à la banquise, est à mes yeux la représentation littéraire la plus profonde du lien de sensibilité qui unit l'homme aux glaces, et plus largement à la nature. Le monstre de Mary Shelley a donné un sens à ce qui, avant lui, n'en avait jamais eu. Car pour donner du sens aux étendues glacées au demeurant inhumaines, il ne fallait pas un homme, mais bien un « monstre » dont l'infirmité première fut d'aimer plus qu'il n'est admis.

Le glacier est chargé d'âme. D'où le magnétisme qu'il exerce. D'où ses accointances avec les cœurs sensibles. Voilà ce qu'avait compris une romancière il y a de cela deux cents ans, et que l'actualité nous convie à percevoir à nouveau. Que serait, pour la créature de Frankenstein, un monde dont les glaces auraient disparu ? Un monde dont on ne peut ni se distancier, ni se prémunir. Un monde sans rédemption, sans justice, sans absolu ; mutilé de son plus grand rêve.

Ce grand rêve s'est vu rattrapé par l'histoire.

Bien loin d'y chercher un miroir, maints explorateurs se sont précipités vers les hautes latitudes avec l'ambition affichée de les abattre. La glace n'était alors plus que de l'eau gelée, accident inutile à tout sauf à l'édification des vanités. Nul poète pour s'y brûler l'âme. Walton lui-même, dès que la banquise a relâché son étreinte, se replie vers le sud. Le docteur et sa créature, en revanche, iront tous deux jusqu'au bout du voyage, puisqu'ils n'en reviendront pas. Déçu, car il attendait surtout de la glace son absence, Walton recule, laissant à ses successeurs un Pôle intouché. Mais plus pour longtemps.

Un siècle après la tentative imaginée par Mary Shelley survient l'expédition, cette fois bien réelle et couronnée de succès, de Robert Peary. Le 6 avril 1909, la bannière étoilée flotte sur le 90e degré de la planète, ou non loin. La postérité, peu regardante, fera du fossoyeur de l'inconnu un héros. Son nom entrera dans les dictionnaires. Mais qu'a-t-il apporté à l'humanité ? Rien, selon l'écrivain autrichien Karl Kraus, qui porte sur l'événement ce jugement acide : « Ce qui rendait le pôle Nord si précieux, c'était précisément le fait qu'on ne pouvait l'atteindre ! Une fois atteint il n'est plus qu'un bâton fiché en terre à l'extrémité duquel flotte un petit drapeau, donc quelque chose de plus minable encore que le néant : la béquille d'un rêve accompli et une borne à l'imagination… Ce qui atteignit le Pôle, ce fut la sottise, et son drapeau battit l'air victorieusement, signalant que le monde, désormais, lui appartenait. Mais les champs de glace de l'esprit se mirent à augmenter de volume, ils se répandirent et s'étendirent jusqu'à ce qu'ils eussent recouvert la terre entière. Et pour nous, nous qui pensions, ce fut la mort. »

L'histoire de la conquête des Pôles est celle d'un rêve, telle une peau de chagrin, continuellement laminé par des ambitions privées. Cette conquête mit fin au romantisme tant de Mary Shelley qu'à celui d'Edgar Poe qui envoie Arthur Gordon Pym, personnage principal de son unique roman, se diluer au pôle Sud sous le regard d'un mystérieux géant blanc ; le Pôle suggère ici encore la rémission des souffrances, le passage vers l'infini paisible et immaculé de la mort. Dans un autre style, George Sand, dans *Laura, voyage dans le cristal*, associera le pays des glaces à une géode tapissée de cristaux merveilleux, mais c'est à Jules Verne, en interprète d'un temps dévolu au progrès, que l'on doit la démythification du rapport entre l'homme et la nature glaciale. Pourtant, même s'il aborde le Pôle comme un objet d'étude et de conquête, Jules Verne nous ramène dans chacun de ses romans à sa nostalgie pour ces terres immaculées et indomptables qui rendront fou son capitaine Hatteras, ou fixeront pour l'éternité aux montagnes les explorateurs qui se seront rapprochés de trop près du Sphinx des glaces, le gardien du pôle austral.

L'esprit scientifique aura raison de l'esprit romantique et substituera à une connaissance intuitive de la nature un savoir mécanique. Cependant, nombre d'écrivains ne se rendront pas de suite à ce forfait et s'obstineront à habiter ces territoires que les explorateurs décrivent comme totalement désolés. C'est qu'il existait bien des secteurs où nul ne s'était encore aventuré. Ainsi, jusqu'à la Seconde Guerre mondiale, on crut découvrir des îles au-dessus de la Sibérie et du Groenland, où vivaient, dans la première des chasseurs de mammouths, dans la seconde des Vikings oubliés de l'histoire. Edgar Rice Burroughs osa même envoyer son héros Tarzan explorer l'océan Glacial ; la banquise, selon lui, dissimulant l'orifice qui conduit au royaume infraterrestre de Pellucidar.

Le pôle austral, qui connut le même sort que son pendant boréal en 1911, soit deux ans plus tard, confirmait pour les écrivains l'obligation d'actualiser leurs utopies. C'est au cœur de l'inlandsis antarctique que H. P. Lovecraft cache sa cité maudite, érigée il y a de cela des millions d'années par d'effarantes entités intergalactiques, lesquelles n'attendent que la visite d'un explorateur un peu trop curieux pour sortir de leur hibernation et réduire l'humanité à néant. À mesure que la science et l'exploration gagnent du terrain, les auteurs enfouissent plus profondément leurs mondes oubliés, leurs propres démons ou leur désir d'absolu. Ainsi de René Barjavel qui, dans *La Nuit des temps*, ensevelit sa civilisation parfaite à quelque 900 mètres sous la glace d'un continent gelé.

La conquête des Pôles eut pour effet de repousser les limites de l'imagination. Elle contraignit les auteurs à s'exiler vers des espaces si lointains que nul ne put nourrir l'espoir de les rejoindre : les étoiles. Ainsi la disparition des interrogations liées à la nature exacte des Pôles préluda à l'essor de la science-fiction. Et les rêves d'exploration que semait la littérature, qui étaient des rêves tangibles car accessibles aux plus aventureux, devinrent progressivement, à mesure que les mystères terrestres s'éventaient, des rêves intangibles, invérifiables, inabordables même aux plus courageux. Et, sa mission étant accomplie, le héros qui portait le fanion de la découverte se retira.

Il nous reste aujourd'hui des glaces polaires une vision partagée entre l'univers onirique de l'enfance, dans lequel le petit Esquimau et l'ours blanc sont rois, et les bilans scientifiques, soutenus ponctuellement par les prouesses d'explorateurs intéressés par la médiatisation. Le lien est rompu. Pas uniquement le lien mystique ou allégorique que le romantisme tenta d'initier, mais le lien scientifique même. Le public a perdu le contact. L'abondance d'informations souvent complexes et en apparence contradictoires a brouillé sa perception de ces latitudes trop distantes pour qu'il se sente impliqué.

Devant la force des phénomènes en marche la presse ne peut se taire, alors elle répète, répète, jusqu'à ce que plus rien ne s'entende, et nous avançons vers des bouleversements terribles comme si de rien n'était.

La disparition des territoires de l'imaginaire paraît inscrite au programme du XXIe siècle. Comment l'éviter, ou seulement en repousser pour une ou deux générations l'échéance ? Je crois en la vertu du voyage. Nous devrions tous, avant d'être poussés à suivre des études, nous faire mettre dehors. Sans argent, sans moyen de transport, avec ses seules jambes pour prendre la mesure des choses, et devenir compagnon de soi-même. À l'ordre économique, je préfère le désordre des intuitions, et laisser à chacun l'opportunité de se gouverner selon ce qui palpite en son for intérieur. Le voyage, pour peu qu'il soit aventureux, offre cette occasion. Je crois possible d'exister en accord avec ce qui survit en soi d'amour. Je crois qu'il faut en premier lieu partir, subsistant je ne sais comment, de l'air du temps, de quelque mission ponctuelle, mais partir.

Les oiseaux comptent pour beaucoup. Rares étaient les jours de navigation où je ne recevais pas la visite, toujours aérienne, d'un pétrel, où un guillemot à miroir, lutin noir au bec rouge, ne venait barboter dans mon sillage. De nombreux caps mêlaient au bruit du ressac celui des colonies : les ricanements aigus de milliers de mouettes tridactyles composaient avec les cris rauques des guillemots de Brünnich des concerts tonitruants. Les montagnes, qui ne bronchaient pas, semblaient acquiescer à ce chahut, tout comme la mer, vaste écran d'étain où l'oiseau puise son fretin d'argent. L'atmosphère était celle d'un début du monde, d'une création se perpétuant de toute éternité.

Pourtant, en l'absence même des oiseaux, je ne me sentais pas seul. Que le ciel vienne à se voiler, la brume à tomber, je n'étais toujours pas seul. Mes craintes n'étaient souvent que manœuvres pour exciter ma vigilance : je ne craignais rien. Que le paysage vienne à disparaître et le sol à se dissoudre, j'aurais encore eu ma place, et ma pensée aurait reçu un écho. Il fallait seulement que je ne reste pas immobile. Escalader une pente, pagayer, monter le camp, je devais constamment, pour échapper au vide, laisser à la nature la possibilité de me rejeter. Mon acceptation par elle sous-entendait sa présence. Jamais d'accident, jamais de situation inextricable pour me signifier que je n'étais pas à ma place. Et la nuit où l'ours est arrivé, je l'ai senti dans mon sommeil, cela m'a réveillé, je suis sorti de ma tente ; il arrivait droit sur moi en longeant la berge. Nous nous sommes regardés, puis il s'est détourné.

La nature ne semblait pas mécontente que je m'autorise à la visiter. Parfois, pour s'amuser, elle me molestait, et me débrouillant d'une trop soudaine bourrasque, je m'amusais aussi. Elle était ma compagne à tout instant, partout où allait mon regard, dans l'air que je respirais, dans l'eau que je buvais. Trop tendre ou continuellement douce, elle m'aurait sans doute moins retenu ; exigeante et un brin caractérielle, elle entretenait en moi le feu, qu'elle savait apaiser d'un rayon de soleil ou d'un bivouac inespéré.

Je me sentais lié à l'espace. Je me sentais lié à la pierre, à la glace. Au ciel, parfois. Peut-être aimais-je l'Arctique parce qu'il m'apportait une éducation que je n'avais pas reçue ailleurs. L'Arctique était devenu ma valeur ; en tout, pour tout, mon refuge. C'était le pays de certitude, l'espace qui suspend la déception, qui ne vieillit ni ne meurt. L'esprit pouvait y fureter à sa guise, comme le renard, planer à la crête des vagues, comme le pétrel ; rien ne lui faisait obstacle ni ombrage. Nulle tentation de posséder et de ramener à soi, mais l'obligation d'être vigilant à ce qui est. La nature est l'espace qui accueille, qui accorde le « je » au diapason du monde.

Nul, vraisemblablement, ne pleurera les glaces quand elles ne seront plus. Nul aussi ne s'émerveillera à nouveau d'elles. Ce qui faisait le Nord si différent, c'était sa capacité à rester lui-même. Le public n'a pas à s'alarmer du développement du tourisme dans l'Arctique : il faut ne jamais avoir connu le blizzard pour douter de la force de ce milieu et imaginer qu'il pourrait autoriser de grands outrages. Il faut ne jamais avoir vu ces villes recroquevillées, dont la survie ne tient qu'à un fil, ces installations si modernes et en même temps tellement précaires, ne pas avoir observé ces touristes emmitouflés et maladroits, bouleversés par ce qu'ils découvrent mais paniqués à la seule idée de s'attarder un jour de plus. L'Arctique n'avait pas besoin qu'on le protège, il se protégeait tout seul, il se protégeait de nous en nous rendant la vie impossible. Dieu que j'ai aimé ces terrains, oui ! Mais il n'est pas une saison à l'issue de laquelle je ne me sois réjoui de rentrer. L'Arctique produit l'absolu dont on peut rêver mais en premier lieu, l'Arctique est dur. Il est dur même pour l'homme qui roule des mécaniques, il empoigne, pèse, isole, pénètre, angoisse, aveugle, souffle, frappe. Vous en voulez encore ? Personne n'en veut, en vérité. Et ceux qui y vivent font tout pour l'oublier. Alors non, le Pôle n'a pas à nous craindre et nos quelques murs sont de bien chétifs refuges au regard de son énormité. L'espace polaire, surtout quand il est fait de montagnes et de glaciers, a tout pour déplaire au prédateur que nous sommes qui ne peut y circuler, et ne l'aborde par la mer que trois mois dans l'année. Le reste du temps il dépend des airs et chaque vol est un péril, tant le ciel se complaît dans la fureur.

Les glaces ont ceci d'attrayant qu'elles dégagent l'espace et qu'il est facile de s'approprier ce qui n'appartient à personne. Celui qui a voyagé dans l'Arctique sera étonné de rentrer chez lui le cœur chargé d'émotions, et de l'intérêt qu'éveillera désormais pour lui ce qu'il méjugeait jusqu'alors. C'est ce qui m'est arrivé quand je rêvais, adolescent, de soleil, d'odeurs, de tropiques où chaque mètre carré grouille de vie ; lorsque je me suis rendu pour la première fois à hauteur du cercle polaire, j'ai compris que mes propres rêves me trompaient. Ce que je cherchais était plus profond que l'exotisme. La lumière me captivait plus que la chaleur. Mais, surtout, l'espace intouché m'offrait un domaine dont je pouvais moralement m'emparer. J'étais « chez moi » là où personne ne pouvait vivre et où le recueillement allait de soi. J'adoptais l'Arctique comme on rejoint une église, avec respect et dévotion. Et rien désormais de ce qui concernait ces territoires implacables ne m'était indifférent ; réduire l'Arctique à des prospectives économiques signifiait pour moi offenser Dieu.

L'histoire se poursuit. Curieusement, elle semble faire demi-tour, car voilà la mer libre du Pôle que fantasmaient naguère les poètes en passe de s'ouvrir. Le phénomène attise l'avidité des armateurs et alarme les écologistes, lesquels s'attendent à la profanation par des sillages huileux du dernier océan vierge de notre planète. Finies les courses rédemptrices vers le quatre-vingt-dixième degré de latitude ; bienvenu au mythe émietté, au sanctuaire démembré, au mystère en fauteuil roulant. L'appel de la liberté, de l'inconnu, du danger : une vieille histoire.

Le plus surprenant, c'est que les fléaux d'origine humaine se montrent tout aussi imparables que les catastrophes naturelles. En pratique, nous ne sommes pas plus efficaces pour enrayer le réchauffement global ou la pollution des océans que pour contenir un typhon ou un tremblement de terre. Scientifiques, observateurs et journalistes constatent, alertent, et rien ne se passe. Comme si dénaturer était le fait de la nature, et non le propre de l'homme.

De la fonte des glaces nous ne souhaitons pas comprendre le processus, ni nous attarder sur sa cause, puisqu'elle a le mauvais goût de nous impliquer, mais nous nous alarmons de ses effets : ici, une ourse qui ne trouve plus un morceau de banquise capable de supporter son poids lutte pour ne pas périr noyée, là, des insulaires se préparent à abandonner leur village grignoté par les flots. Curieusement, peu de personnes restent indifférentes ; se sentir associé à la récession des glaces met mal à l'aise. Voir la nature mettre en scène, à l'échelle de notre petite vie à nous, le processus de sa transformation, a quelque chose d'effrayant. Ce qui se passe est anormal, on le sent, on le sait.

Que les glaces se retirent pour laisser davantage de place à l'homme aurait pu être une bonne nouvelle si l'homme nous avait convaincu. Nous pourrions voir dans ce réchauffement une chance donnée à la civilisation et à la vie d'étendre leur royaume. Mais nous avons une bien piètre estime de nous-mêmes. Notre espèce décide de tout et gouverne en maître, elle prend, puise et épuise ; imperturbablement, elle exploite, soumet, conditionne, habille et vend, et des milliards de ses membres attendent leur tour, suent sang et eau au service de l'appareil. Que ce soit un tel monde qui profite de la faiblesse des glaces pour s'étendre et soumettre l'intégralité de la Terre n'a rien de réjouissant. Nous préférons les ours aux hommes. Nous nous émouvons davantage d'une architecture sauvage que d'un agencement urbain. Nous pleurons le repli des territoires inhumains et maudissons la victoire de notre race. Ce monde moderne qui assure notre sécurité et notre confort, et des avantages dont nul d'entre nous n'est prêt à se départir, nous ne cessons de le trahir en pensée. Chacun de nous vit de la modernité et pourtant, personne ne vit pour elle. Pourquoi en voulons-nous donc tant à la matérialité dont nous jouissons ? Qu'a-t-elle exigé que nous lui remettions en échange de ses avantages ? Notre éveil, nos rêves, notre liberté ? Contre la sécurité et le confort nous avons cédé nos énergies subtiles, nos élans de l'âme, nos colères, notre fierté, notre goût du risque et notre sens du sacré. Nous nous sommes gavés de victuailles, de loisirs et d'images, et nous en voulons au monde qui nous a donné tout cela. Nous le perdrions nous en souffririons, mais ne le pleurerions pas. On ne pleure que sur le sort des ours polaires. Alors à quoi bon soumettre les dernières latitudes de la Terre, y pomper le pétrole et les sillonner au profit de telle ou telle compagnie maritime, si c'est pour y étendre la grisaille humaine, si c'est pour rejouer, là-haut, en ce sanctuaire sacré, notre partition sinistre ?

Nous devrions haïr la glace. Elle est froide et fait souffrir, elle est stérile et n'aide à rien. Elle écrase, ravage sur son passage ; durant l'âge glaciaire, elle recouvrait jusqu'à la Grande-Bretagne et ses langues mortelles atteignaient la vallée du Rhône. Les Cro-Magnon que nous fûmes pourraient en conserver un souvenir cuisant. Nous devrions avoir gardé dans nos gènes une haine viscérale de la glace, et nous réjouir de son recul, voire le fêter. Or il n'en est rien. Le repli des glaciers est systématiquement perçu par l'homme comme une perte. À croire que ce dernier n'a jamais souffert du froid, qu'il n'a jamais eu faim, qu'il n'a pas lutté pour gagner des terres propices à la vie et au labour. Ou qu'il a toujours prêté l'oreille au murmure de la glace, et redoute un monde où il ne l'entendrait plus.

Il suffit de présenter la photographie d'un glacier prise en 1900 à côté de l'image du même vallon aujourd'hui vide, pour juger de l'impact de la glace sur l'imaginaire. Chacun déplore en son âme et conscience l'expiration de la glace à nos côtés. Pourquoi ce chagrin, ce sentiment de perte irrémédiable ? Le blanc cède la place au banal, aux cailloux tristes et noirs comme le deuil. Le blanc est proche du ciel dont il est la descendance. Le glacier respire, n'est jamais assuré comme les autres éléments, le vent, la mer, la roche, de se renouveler dans la durée, il se déplace et palpite ; par sa transparence, il montre ses affinités avec la lumière, avec l'eau et l'esprit. Le glacier est fatal, il lui arrive de tuer son visiteur en le happant dans une crevasse, mais cela lui est pardonné. Il continue d'être recherché, admiré, foulé. Le glacier est un mystère qui nous ressemble. En disparaissant, il ôte à notre propre mystère son reflet, nous enlève la chance que nous avions de nous connaître au-delà des chiffres et des mots. Il nous prive de l'insaisissable qui nous tentait.

La glace est parente de l'engeance humaine. Trop abondante, elle anéantit ce qui l'entoure. Raréfiée, elle enlève à la création la présence. Matière si puissante qu'elle taille les montagnes, lamine les vallées et déforme les continents, elle est aussi la plus vulnérable, la plus passagère. Elle réalise l'expérience d'une nature qui, par la température maîtrisée, permet l'harmonie. Tout est question de température, de proximité ou d'éloignement du centre. Le centre : 0°C. La vie commence avec l'eau fluide, et avant l'eau, avant le commencement, il y a la glace.

S'interrogeant sur la véritable nature de l'eau, le japonais Masaru Emoto a pris soin d'observer sa cristallisation. Il a alors constaté que selon la musique diffusée dans la chambre froide au moment où l'eau gèle, les cristaux ne dessinent pas les mêmes formes : la glace qui s'est composée dans un climat sonore harmonieux se dessine harmonieusement, tandis que celle qui a subi des influences violentes est épineuse et chaotique.

Le constat est similaire non plus en présence de musique, mais de prières, et même de simples pensées. Monsieur Emoto explique que la glace fige le sentiment ambiant, en est à la fois le reflet et la mémoire, preuves photographiques à l'appui. Il en conclut que « l'eau parle pour ce qui est dans notre âme, éveille la mémoire subconsciente de chaque personne » et parvient avec son microscope à une compréhension du cosmos et de l'humanité. Ces expériences entrent en résonance avec les recherches, si décriées par la communauté scientifique, du professeur Jacques Benveniste. L'inventeur de la « mémoire de l'eau » a montré que l'eau était capable de conserver des informations génétiques indépendamment de la présence de l'ADN, informations susceptibles d'être transmises à distance par des ondes électromagnétiques. Ces découvertes, qui pourraient révolutionner la biologie mais aussi la physique, posent les bases scientifiques de la compréhension de phénomènes jusqu'ici inexpliqués. L'hypothèse selon laquelle la glace est le miroir de l'âme ne serait donc pas seulement une vue de poète.

La glace est à l'origine, à notre origine. Ses cristaux nous relient à l'âge obscur d'où émergea la pensée. Tout en recelant l'eau de notre chair, elle s'imprègne de nos émotions, les capture et les retient. Elle nous instruit du pressentiment de l'au-delà. L'homme redoute sa disparition comme il redoute de se retrouver seul.

Deuxième partie

L'ESPRIT

Je savais que mes pérégrinations arctiques ne suffiraient pas à m'orienter solidement, même si j'attendais du récit dont j'entamais la rédaction de nouvelles perspectives. N'ayant jamais édité je n'avais pas d'éditeur, et ne m'en inquiétais pas. Ce qui comptait c'était de poursuivre, par l'écrit, une expédition que j'estimais non conclue. Partir de l'expérience de l'isolement total, de l'indulgence gagnée auprès d'une nature sévère, pour exprimer ce je ressentais du monde tel que je l'avais quitté puis l'avais retrouvé, identiquement sourd.

Mes voyages ne me paraissaient pas extraordinaires tant ils faisaient partie de moi. Si bien que même seul sur des mers scabreuses, sans savoir où j'allais accoster ni même si j'allais m'en sortir, je ne me sentais qu'imparfaitement aventurier. L'Arctique m'avait déjà trop pénétré pour me laisser craindre ses humeurs. Me reconnaissant dans ses montagnes et glaciers presque comme dans un miroir, il ne m'étonnait guère plus que mon reflet dans la salle de bains. Aussi continuais-je de convoiter l'aventure alors même que je la connaissais.

Mon retour en France promettait des expériences plus incertaines que mes navigations glaciales. Trouver un appartement, un travail ; supporter les pétarades, les gaz d'échappement. Restaurer des amitiés, en créer d'autres… Tempêtes et solitude ne m'avaient pas assez violenté pour me faire regretter ce qui m'avait décidé à les rejoindre. Je ne me voyais pas plus m'accoler à des vicissitudes sociales qu'à des fluctuations de marché, le grand cirque économique me paraissant d'autant plus choquant que je rentrais d'un monde sans chapiteaux. Aucune fortune à faire dans le haut Arctique. Rien d'indécent, sinon la succulence d'une liberté devenue l'exception.

Seulement, je n'étais ni pinnipède ni goéland. À défaut de pouvoir vivre à l'année sur les glaces, je devais rentrer et me démener tout en préservant en moi la force, la beauté et les saveurs connues là-bas. Car le monde ne se construit plus sur la force, mais sur la crainte de celle-ci. Il se corrompt en s'adressant aux faiblesses et en tournant le dos aux énergies qui rendent libre. Il connaît la beauté quand il se l'accapare pour en faire commerce et attirer le chaland, mais ignore celle, plus grande, qui lui échappe. Ce monde est sans saveur qui ne soit pâle copie, émotion de commande. Cet état de fait engendrait en moi un mal-être que trop peu de lumières participaient à résorber.

L'Arctique, c'était l'obligation de faire corps avec le réel. Comme un grand nettoyage. Je me créais des moments à conserver en mémoire, offrais à ma fierté d'incontestables mobiles. Il y avait autre chose, aussi : l'insoutenable infinité des possibles. Comment se résigner à n'être qu'ici, à cet instant, alors que des milliards de moments se déroulaient ailleurs, impliquant des êtres merveilleux et que je ne rencontrerais jamais ? L'Arctique fut pour moi ce nulle part qui atténue, un peu, l'outrage de ne pouvoir se tenir partout à la fois.

En attendant de trouver ce que je cherchais réellement, et pour calmer la faim de l'âme, je reprenais mes voyages. Je travaillais alors en tant que guide d'expéditions aventureuses au Groenland, au Spitzberg et dans l'Arctique nord-américain. Ce qui me permettait de faire du sport en respirant un air pur, et de rester fidèle à mes pensées.

Je glissais souvent dans mes sacs étanches un

livre de Saint-Exupéry. Lier, nouer les hommes, telle était l'obsession du poète. « Si tu veux qu'ils soient frères, oblige-les à bâtir une tour. Mais si tu veux qu'ils se haïssent, jette-leur du pain », écrivait-il, constatant combien la facilité à laquelle l'individu est perpétuellement invité mène à la décomposition des liens. La société ne tend vers aucun objectif spirituel et j'en ressentais, plus qu'une contrariété, une véritable douleur. Je reconnaissais en Saint-Exupéry un être blessé par la même flèche. Le Nord m'était apaisement, comme pour lui le ciel. Le monde impose une organisation dans la mêlée de laquelle chacun ne fait que tirer à soi. Impossible de ne pas voir, d'où j'étais, qu'il manquait la foi, la conscience, l'esprit qui noue les hommes entre eux.

« Que peut-on, que faut-il dire aux hommes ? » s'interroge encore Saint-Exupéry à la veille du vol qui lui sera fatal. Ses livres, il le sait, n'ont rien changé. Ses mots n'ont pu, comme il l'espérait, convertir les hommes à leur propre grandeur. Jamais la marche du monde ne tient compte de l'intuition du poète. Aussi, en empoignant la réalité et en prenant des risques, Saint-Exupéry pensait-il ajouter de la crédibilité à ses œuvres, et leur donner de meilleures chances d'être retenues.

Pour quelle raison faire preuve d'héroïsme ? Montrer que l'on peut être le plus fort, le premier à dompter l'infini ? Le premier à domestiquer le monde, à remplir ces blancs cartographiques où l'imagination se promène ingénument… Saint-Exupéry ne cherchait pas plus à briller pour lui-même qu'à piétiner les rêves. Son engagement dans l'Aéropostale puis dans la guerre exprimait son idée de l'homme et son idée de l'écrivain, lequel doit accorder sa vie aux principes qu'il défend. L'engagement traduit l'effort nécessaire pour pénétrer le cœur, et ne jamais devenir un penseur de salon. C'est à ce prix que l'écrivain sera justifié dans son injonction à la société de viser le dépassement d'elle-même.

Saint-Exupéry était un héros parce qu'il a fait en sorte que chaque jour de sa vie soit le plus profitable possible aux autres. Sur quel héros pourrions-nous aujourd'hui compter ? Le héros témoigne de l'ardeur de son temps. Durant l'Occupation, la France avait pour héros le résistant, lequel indiquait à tous, au péril de sa vie, la voie de la liberté. Le XVIIe siècle, moins pressé par la nécessité, désignait pour représentant de ce vers quoi chacun devait tendre l'honnête homme, personnage doué d'une culture étendue et d'une urbanité irréprochable. Plus tôt encore, autour du XIIe siècle, le héros était le chevalier qui n'avait de cesse de faire ressortir ses plus hautes qualités en mettant à l'épreuve sa vaillance, son amour et sa foi. Ce dernier modèle héroïque marqua d'ailleurs si profondément les imaginations que l'on serait prompt à croire qu'il n'a jamais été dépassé. Aujourd'hui, le chevalier serait un Don Quichotte ou un Cyrano rejetant toute compromission avec la veulerie de son temps pour ne plus vivre que par poésie.

L'on se moque de Don Quichotte comme de l'honnête homme, et toute résistance à l'occupant est malvenue. La disparition du héros, ou tout du moins sa mise à l'écart, fait précisément l'affaire de « l'occupant », qui désormais n'est autre que le bien de consommation. « L'occupant », c'est tout autant l'objet que ses affidés : l'industrie, le marché, l'argent. « L'occupant », c'est aussi le tracas administratif, le média tapageur, le problème d'ego. « L'occupant » est ce qui nous occupe et nous préoccupe et, partant, nous dérobe à nous-mêmes. Celui qui se débarrasse de ce qui l'occupe pour ne vivre que de sa liberté, celui-là est le résistant, celui-là remplit son rôle et éveille le désir. Saint-Exupéry était l'un d'eux.

Si le monde manque à ce point d'âme, c'est que les forces d'occupation se sont dotées de moyens exceptionnellement attrayants : la sécurité, le loisir, le confort.

Que ces forces précipitent la fonte des glaces, nous le savons, mais nous ne sommes guère enclins à les dénoncer ou seulement à leur en vouloir. La majorité fait loi. Et la majorité n'est pas en quête de quelque figure héroïque capable de la sortir de sa torpeur et de la pousser à l'action. La majorité recherche des héros qui l'aident à rendre plus supportable une vie dépourvue d'enjeux. Ainsi du footballeur, ce modèle qui n'endosse aucune cause, qui ne joue pas sa vie, qui ne place pas la collectivité avant lui-même, n'a aucune exigence en terme d'amour ou d'esprit, et ricane de la gratuité. Le footballeur est un héros dans la mesure où les médias reconnaissent en lui un vecteur de dépaysement pour une masse en mal d'aventure et de gloire. Hier, le héros – combattant, humaniste – aidait le peuple à sortir de la crise. Aujourd'hui, comme à l'époque romaine, il occupe les stades pour la lui faire oublier.

« Un homme qui s'engage sur une voie erronée marche avec assurance. Le Siècle lui dicte Vas-y ! Vas-y ! Tout le monde le fait. Et ce tout le monde le fait paralyse les âmes. Les gens se condamnent eux-mêmes à la perdition, à la perdition totale [...]. Nous nous élevons en terme de civilisation, et nous chutons spirituellement. C'est la dévastation de l'âme. La vacuité de l'âme. » Ces propos d'Alexandre Soljenitsyne résonnaient dans mes voyages comme une voix prophétique. La marche du siècle, c'est la perdition de la glace, concomitante de l'abandon du champ spirituel. Par les dogmes du matérialisme et de la croissance, voilà la nature niée, asservie, spoliée, scarifiée, au même titre que l'âme avec laquelle elle entretenait une étroite connivence.

Au-delà de Saint-Exupéry, je m'intéressais aux auteurs qui, déplorant les névroses de leur temps, se sentaient obligés par l'urgence d'éveiller les consciences. Les Péguy, Breton, Mounier, Weil, Bernanos, Malraux, Dumont ou Deleuze n'ont jamais fait dans la demi-mesure. Tous se sont employés à comprendre, ont tenté de démonter les rouages de la machine infernale, ont apporté leur aide à celui que la confusion malmenait. Que sont-ils devenus ? Qui, dominant le monde de par sa position – acteur de l'économie, des médias ou de la politique – s'emploie à relayer leur message ? Je m'étonnais du manque d'acharnement de nos intellectuels à pourfendre le matérialisme ambiant, à imposer sur les ondes leur singularité rebelle, à jeter le doute sur la légitimité des barons de la pensée moderne, à clamer leur dissidence, à tromper, par le raffinement et l'originalité, la pâleur de leur siècle. Ils sont tristes, ces penseurs, si bien que la foule les remarque à peine, et que l'âme, la flamme qu'ils avaient en partage, s'éteint.

Et je me demandais : comment redonner de l'ardeur à notre temps ? Comment fabriquer de l'âme, de cette âme qui me manque et qui devrait aussi manquer au monde ? Le vide spirituel a conquis tant d'espaces que se rendre à l'autre bout de la Terre ne permet souvent plus de lui échapper. Dans l'Arctique, relié à un esprit élémentaire, je me sentais à l'abri. Il m'arrivait même de reprendre espoir, de me dire que le monde se reconnecterait un jour, que je pourrais rentrer et mener une vie normale. Il se reconnecterait peut-être un jour, le monde, mais en attendant je ne me faisais pas à l'idée de rejoindre son mouvement pour contribuer à sa peine. La vacuité de l'âme… Si corrosive à mes yeux que dans ces années romantiques et sauvageonnes, je ne m'en consolais qu'auprès des déserts glacés.

Ceux qui l'ont connu gardent la nostalgie de ce qu'il était, de ce qu'il représentait. Il fut l'un des tout derniers enfants à voir le jour dans un igloo, en 1927. À cette époque, en Terre de Baffin, les familles semi-nomades se dispersaient le long des côtes ; dans les années 1950, Américains et Canadiens les sédentarisèrent en leur offrant des maisons chauffées. Pour convaincre les récalcitrants d'adopter les motoneiges, des meutes furent abattues. C'est ainsi que Pauloosie perdit ses chiens.

Nous étions serrés dans un igloo le soir où il raconta cet épisode. Sur sa joue faiblement éclairée par la lampe à graisse de phoque coulait une larme. Je posais les questions en anglais, Lootie traduisait pour son père, et son père, habillé de son anorak de peau, parlait. Il articulait à peine ; les sons s'échappaient d'entre ses dents résiduelles comme une chanson d'un autre âge. Ses yeux se plissaient de tendresse sous le flot des souvenirs. Tantôt il parlait en souriant, revivant les lumières du passé ; tantôt lui revenait la peine. C'était le patriarche. Celui qui avait grandi dans le monde d'avant. Il est mort, désormais.

Quand je logeais dans la cabane de Broughton Island, il venait me voir pour vérifier que je n'avais pas froid. Je lui proposais un café, il s'asseyait. Pauloosie se mettait à parler dans sa langue dont il savait que je ne comprenais que des bribes. Son attention à mon égard m'intimidait. Je balbutiais quelques mots en inuktitut, l'on riait, puis le silence revenait. C'était comme si l'histoire n'avait pas eu lieu, que rien n'était venu compliquer le monde, que l'homme était demeuré homme au milieu du silence. Enfin, il se levait en me lançant quelque plaisanterie de son cru, puis rentrait chez lui. Je me souviens de sa silhouette trapue, du crissement de ses pas dans la neige, sur fond de hurlement des chiens.

Pauloosie était le chef de nos expéditions ; au moins l'un de ses fils et deux aides l'accompagnaient. Il emmenait les touristes français en traîneau sur la banquise. Mon rôle, diplomatique, consistait à tempérer le choc des cultures... Pauloosie s'amusait beaucoup avec moi. Devant les touristes, nous scénarisions des reconstitutions de la vie sauvage : je me vautrais dans la neige en imitant le dodelinement du phoque, il fondait sur moi en mimant le prédateur…

Une fois, s'exaspérant que ses attelages n'avancent pas, le vieil homme décida de les recomposer. Les meilleurs chiens furent rassemblés sur les deux traîneaux qui tractaient les touristes, tandis que les paresseux, les irascibles et les valétudinaires constituèrent l'attelage qui me fut confié. Je mis neuf heures pour regagner le village, et j'avais perdu deux chiens en cours de route. Un autre jour nous ne passâmes pas loin de l'accident alors que Pauloosie se réjouissait, avec sa motoneige, de décrire des cercles concentriques autour d'un ours blanc. Je me tenais dans le traîneau que tractait la motoneige lorsque la corde qui reliait l'un à l'autre se détacha, me laissant penaud à quinze mètres de l'animal furieux ! Une seconde motoneige intervint à temps pour faire diversion. Enfin, je me souviens, alors que nous cabotions le long des côtes, de ce soir d'automne où nous montâmes la tente dans un secteur très fréquenté par les ours. Les trois Inuit ayant tout juste assez de place pour s'allonger en sécurité dans la cabine du bateau, il fut décidé que je dormirais à terre, avec pour tout moyen de défense en cas de visite importune un vieux baril sur lequel je devais frapper pour alerter l'équipage ! Au matin, je fus bien évidemment réveillé par Pauloosie grognant contre la tente…

Bien des souvenirs m'attachent à ces années, et particulièrement à Pauloosie, ce vieil enchanteur qui gardait bon pied bon œil et à qui le village de Broughton Island semblait devoir son âme. Depuis qu'il est décédé, nul Français de ma connaissance n'est retourné là-bas. Excepté un, dont le seul commentaire fut : « Ce n'est plus pareil. » Non, ce n'est plus pareil. Plus aucun villageois n'est né dans un igloo. La génération des hommes qui grandirent sans connaître ni la motoneige ni la chaudière au fuel disparaît. Est-ce parce qu'il était si proche de la nature que Pauloosie fascinait ? Je n'avais jamais rencontré un homme aussi attentif aux autres. Son esprit était ouvert, son aménité permanente, et son autorité sur les siens incontestée.

Qu'est-ce qui n'est « plus pareil » ? Aucun des enfants n'a repris la pourvoirie du père. L'un d'eux, pourtant, avait manifesté des velléités de poursuivre dans le métier. Il n'en fut rien. Les chiens intéressent les amateurs de compétition, mais n'intéressent plus le chasseur. Chacun préfère rester chez soi ou chevaucher la motoneige pour des trajets rapides. La plupart des enfants de Pauloosie ont des emplois dans l'administration ou le commerce. Personne ne vient plus de France leur rendre visite.

Ce dont rêvait l'étranger, il le trouvait en Pauloosie. Un homme « authentique », à la fois sage et facétieux, proche de la terre, chasseur impénitent, un brin chaman et remarquable sculpteur. Pauloosie était la mémoire d'un temps que nous avons quitté depuis des siècles, peut-être des milliers d'années. D'une certaine manière, il nous montrait celui à qui nous aurions ressemblé si la civilisation ne nous avait désensibilisés. Telle semble être la quête obscure de l'Européen : une capacité à ressentir. Une saveur, une humanité dont rien de ce qu'il invente et construit ne parvient à enrayer la dissolution.

L'idée commune en ethnologie polaire défend la thèse selon laquelle l'homme blanc aurait dénaturé l'Inuit, le pillant et le livrant à un consumérisme ravageur. On constate à l'inverse que plus le conquérant s'est approché des Pôles, plus, d'une manière générale, il a respecté les peuples autochtones. Américains et Canadiens ne pouvaient guère faire autrement, vis-à-vis des populations sur lesquelles ils avaient l'ascendant, que de leur faire bénéficier de ce dont ils bénéficiaient eux-mêmes. Les Inuit étaient avides d'une existence moins rude. Même lorsque les Américains, pour installer leur base aérienne à Thulé, déplacèrent des familles sans trop se préoccuper de ce qu'il adviendrait d'elles, cet abus de pouvoir est à mettre en perspective avec l'enjeu de la Guerre froide. Le monde a évolué. Nous autres Blancs subissons nous-mêmes les effets pervers de l'évolution que nous avons orchestrée : nous ne savons plus qui nous sommes. Et c'est bien pour nous aider à le réapprendre que nous aurions préféré que les peuples du Nord n'absorbent pas nos valeurs, dont nous percevons trop clairement les lacunes.

Les Inuit ont connu en deux générations une évolution qui en a pris, en Europe, des dizaines. Ce changement brutal nous rappelle une triste vérité : les Inuit ne valent pas mieux que nous. Pour un salon en cuir, de l'eau chaude et un écran plat, ils sont prêts à remiser leur passé, et à adopter des habitudes aussi peu reluisantes que les nôtres.

Si le voyageur admet que les peuples premiers bénéficient de l'enseignement ou des soins médicaux, il aurait préféré une transition moins brutale. Il aurait aimé des Pauloosie pour faire la jonction entre le passé et le présent. Or les Inuit, qui ont basculé de l'âge de la chasse et de la cueillette à celui d'Internet, n'ont pas plus que nous recherché un point d'équilibre. Ils ont répété l'erreur que nous aurions voulu leur éviter : ils sont allés trop loin, trop vite. Inutile d'accuser les Blancs d'avoir dépossédé les Inuit de leur identité ; leur attitude à leur égard a été beaucoup plus paternaliste qu'autoritaire, et aujourd'hui encore, les habitants du Grand Nord canadien profitent amplement des bontés gouvernementales.

La culture traditionnelle, fondée sur la qualité des rapports humains, sur le lien à la nature et au mystère, n'a tout simplement pas résisté à la tentation matérialiste. La facilité l'a emporté dans bien des cas, transformant les plus favorisés en parfaits bourgeois et bureaucrates, et accablant de frustrations les plus faibles, proies de la violence et de l'alcool. Comme partout, les liens se sont délités. Et ce qui faisait sens ne le fait plus.

Pauloosie incarnait le point d'équilibre. Fini le temps des famines, mais la solidarité demeurait nécessaire. Disparues les maisons en tourbe, mais l'on aimait toujours camper sur la banquise. L'intégration de la modernité n'empêchait pas de conserver le meilleur du passé, et le fil de la nature mêlé à celui de l'homme entretenait la tradition.

La civilisation européenne s'est imposée aux Inuit comme elle s'est imposée aux Européens eux-mêmes : nul, où qu'il soit né, n'a délibérément choisi l'évolution à laquelle il a assisté. Qu'ils en soient où non à l'origine, Blancs et Inuit ont été portés par un même mouvement, ont été assaillis par les mêmes tentations ; ils ont unanimement recherché la sécurité et le plaisir qu'induit la possession matérielle. Cette tendance est générale, et nous aurions tort de croire que d'autres, moins affectés, détiennent les clés de notre réconciliation avec nous-mêmes, et d'aller les retrouver dans l'espoir qu'ils nous guérissent des maux de notre siècle. Nous sommes logés à la même enseigne, et tout à fait fondés à chercher les connexions qui nous manquent par le biais du voyage lointain ou de l'exploration du passé.

Je me souviens, lors d'une expédition en kayak, avoir reçu au campement la visite de chasseurs locaux, bien entendu arrivés en bateau à moteur, et dont la grande surprise fut de constater que nos tentes n'étaient pas chauffées. Notre reniement du confort leur était d'autant plus incompréhensible que le temps où ils en manquaient n'était pas loin. Les habitants du Nunavut se réjouissaient de sortir du passé alors que nous jouions à y retourner. Sans doute notre antériorité en matière de progrès nous en avait-elle fait percevoir les limites, et nous étions tout heureux de constater que nous pouvions vivre sans moteur ni chauffage sous une latitude polaire. Nous nous étions familiarisés à la rusticité et n'en souffrions pas. L'échelle de temps n'était simplement pas la même ; nous prenions une semaine pour couvrir la distance qu'un Inuit avalait en une demi-journée.

Voilà ce qui faisait la différence : le rapport au temps. Nous venions dans l'Arctique faire l'expérience d'une échelle de temps établie sur la base de nos limites physiques. « Le temps est le maître », dit-on là-bas, quand tout tient à ce que décide le ciel. Le temps est le maître, mais l'homme blanc est le maître du temps. C'est lui qui a multiplié les engins motorisés et prodigué le combustible comme s'il tombait du ciel, affranchissant l'Inuit des longues journées de traîneau. C'est lui qui a réchauffé l'atmosphère pour rendre la banquise impraticable et faciliter la circulation des tankers, lui qui a enlevé aux siècles leur lenteur, pour tout bouleverser en une fraction d'années. L'homme blanc a agi en père et en empereur, en grand magicien du temps.

Les chasseurs inuit pouvaient se croire des princes ; avec leurs moteurs ils filaient vite, avec leurs lunettes ils visaient juste. Et nul ne contestait leur propriété morale sur des horizons entiers de montagnes. Mais le temps a encore changé. Il s'agite, gagne en impétuosité, s'empare des terres et des destins. Le temps nouveau qui s'avance échappe aux Inuit comme il échappe à ceux qui ont voulu le soumettre. Un temps pour lequel la distance, le ciel et le froid ne comptent plus. Un temps d'emprise industrielle, de domination politique, d'exploitation généralisée. Un temps-machine qui, pour avoir vaincu les glaces, veut maintenant écorcher la roche pour en sucer l'huile.

À Resolute Bay, au nord de la terre de Baffin, les habitants regardent passer les cargos. Le Canada voudrait faire valoir ses droits sur le passage du Nord-Ouest, désormais navigable en été, mais se heurte à l'opposition des grandes nations qui entendent bien emprunter cette route librement. Il est vrai que le gain en distance par rapport à l'itinéraire de Panama est considérable, en particulier dans la liaison entre la côte est des États-Unis et la Chine. Pour défendre sa politique territoriale, le Canada n'hésite plus à avancer l'argument militaire : il prévoit de faire voler au-dessus de ses îles arctiques des avions de surveillance téléguidés, d'envoyer en patrouille des brise-glaces armés, et construit un port sous-marinier à l'entrée du détroit de Lancaster.

Tandis que s'ouvrent les routes maritimes polaires – passage du Nord-Ouest et, d'ici quelques années, liaison maritime Mourmansk/Churchill *via* le Pôle – les prospecteurs se frottent les mains. Le Canada, qui exploite déjà plusieurs mines dans le haut Arctique, pourrait en multiplier le nombre à la faveur du réchauffement et de l'envolée du prix des matières premières. Le sous-sol regorge de schistes bitumineux, de nickel, de cuivre, de cobalt, d'uranium, d'argent, de platine ; il recèle des filons d'or, de saphir, de diamant. Non loin du Canada, les Russes, qui pompent goulûment la Sibérie, ont pris l'initiative de planter leur drapeau à plus de 4 200 m sous l'eau, à la verticale du pôle géographique. Une façon de faire entendre à qui de droit qu'il faudra compter avec eux lorsque le partage des ressources de l'océan Glacial sera à l'ordre du jour. Ce ne sont pas ici les mines qui les intéressent, mais le gaz et le pétrole, étant supposé que 25 % des réserves mondiales d'hydrocarbures se trouvent au-dessus du cercle polaire.

De l'autre côté de la mer de Baffin, le gouvernement groenlandais jubile, voyant dans la manne pétrolière l'argument de son indépendance vis-à-vis du Danemark. Ce pays de cinquante-six mille âmes pourrait se donner des airs d'émirat. Peu importe si les chasseurs d'Ummanaq ou d'Upernavik sont amenés à abattre leurs meutes – à quoi servent des chiens de traîneau quand la banquise n'est plus praticable qu'une semaine dans l'année ? – ils recevront de larges compensations. Les réserves de brut en mer de Baffin seraient comparables à celles qui font la fortune – et l'arrogance – de la Norvège. De nouvelles cités jailliront du sol, attirant des milliers d'ouvriers de l'étranger, et assurant au Groenland une prospérité sans précédent.

Une poignée de nostalgiques, petits-enfants de chamans, semblent militer pour un retour à la nature. Mais le monde moderne avance plus vite que les idées qui appellent à le réformer. Et il ne s'agit encore que d'idées, aussi faciles à épuiser que des glaces.

Les idées n'ont pas la puissance qu'on leur prétend. Certes, elles ont maintes fois transfiguré le monde, mais cela se passait avant l'invention de la machine à vapeur et la télévision, au cours de ces âges où la vie se gagnait par le labeur. La précarité était le quotidien des masses. Les guerres, les passions dominaient le monde. Mais à présent, que pèse une idée devant les facilités du tout mécanique, du tout virtuel, devant l'assurance alimentaire et médicale ? La plus puissante des idées ne servira jamais qu'au décor, qu'à entretenir des débats qui décideront des accessoires et non de l'œuvre.

J'ai longtemps cru l'Arctique indomptable, ou du moins assez autoritaire pour repousser toute velléité de prise de possession. Je l'imaginais éternellement capable de refouler le commerçant et l'industriel, comme en témoignent çà et là le souvenir rouillé d'une installation baleinière ou des tombes que les ours ont saccagées. Je le voulais imprévisible et rageur, même en été, pour dissuader le vacancier et ruiner le promoteur ; je voulais l'Arctique aussi fier que je l'étais moi-même, et le croyais tel.

Je me suis trompé. L'orgueil de la nature, c'était le mien. C'était moi qui attribuais une fierté aux éléments, qui proclamais la victoire de la glace avant même le combat entamé. Et le combat était encore mon invention : l'Arctique ne se bat pas. Il se laisse prendre. Les glaces n'ont semblé menaçantes qu'à ceux qui se sont heurtés à elles ; les glaces n'ont été que des miroirs, réfractaires au vivant, mais sensibles au moindre outrage. La glace pâlit sous notre arrogance, se fissure devant nos appétits, s'efface sous nos pas. Elle fond, pour ne plus avoir affaire à nous.

Jean Malaurie affirme : « La proximité avec la nature a plus à nous apprendre que la science. » Jean Malaurie est lui-même scientifique. Ses recherches l'ont amené à se rapprocher de la nature et des « petits peuples du froid », en particulier les Esquimaux de la région de Thulé, à l'extrémité nord-ouest du Groenland. Si son affirmation est vraie, alors le résultat de ses recherches compte moins que les liens qu'il a tissés avec ses hôtes, si voisins de la nature, et ce qu'il a entrevu a plus de valeur que ce qu'il a démontré.

Avant, l'histoire du monde se confondait avec celle des liens. Rien quittant le sol qui n'y demeure relié par un tronc ou une tige. L'enfant était le fils d'un père qui était le fils d'une terre. La nature donnait à celui qui suait ; dans une relation qui tenait de l'échange, l'effort était la part du don de l'homme. Et quand la nature récompensait l'effort au-delà de ce qui en était espéré, le paysan, le chasseur louait le ciel.

La relation était « verticale ». Debout, l'individu sentait la verticalité matérialisée par son propre corps, l'énergie montant des pieds jusqu'à la tête pour conduire l'esprit au-delà, vers le plus haut. Ainsi prolongée dans l'immatérialité, la verticalité ouvrait à l'universel. L'animiste voit Dieu dans une pierre, un arbre, une source. Il y a longtemps de cela, le chasseur esquimau s'excusait auprès de la proie à laquelle il avait ôté la vie. Il pensait qu'ôter une vie, c'est arracher un lien avec un ancêtre. Selon lui, le lien qu'il enlevait ne se justifiait que pour en nourrir un autre, plus important : le lien qui noue le destin du chasseur à celui du monde.

La croyance animiste donne à chaque acte une signification morale. L'homme étant partie intégrante de son environnement, rien de ce qu'il fait n'est sans conséquences, et ses actes mauvais ont une répercussion sur les autres membres de la communauté comme sur les « esprits » qui hantent la création et qu'un rien peut froisser. La superstition apparaît comme la crainte d'une attitude qui irait à l'encontre de l'ordre universel. L'homme n'étant qu'un maillon, il doit craindre ce qui le dépasse, ou au moins le respecter. Se sentir un maillon, l'élément d'un ensemble ; jauger le souci particulier à l'aune de la nécessité collective. Maintenir l'harmonie, tel est le sens de la morale.

L'Inuit s'inscrit dans la tradition lorsqu'il assure la pérennité de la morale. La morale est la formulation de la conscience, elle découle du sentiment du lien avec la nature et avec les autres hommes, et de la fragilité de ce lien. La vie moderne n'a d'autre interprétation de l'existence humaine que celle qui conduit à l'acquisition de pouvoirs supplémentaires, quelles que soient les conséquences que l'exercice de ce pouvoir peut avoir sur l'harmonie générale. La vie moderne ignore la morale.

Le déni de la morale est en vérité si peu satisfaisant qu'il nourrit chez l'Occidental une fascination pour les peuples moins influencés par lui, alors même que ces peuples sont de plus en plus rares. L'Inuit idéal, loin de songer prioritairement à l'acquisition de biens, aurait une connaissance de la vie supérieure à la nôtre parce qu'il demeurerait en prise avec la réalité ; sa morale ne serait ni desséchante, ni autoritaire, mais exprimerait une liaison active entre l'homme et son environnement.

L'idée que nous nous faisons de nous-mêmes ne nous place plus devant l'interrogation du bien et du mal, nos actes nous apparaissant justes dès lors qu'ils rendent la vie personnelle plus agréable. Nous ne nous posons guère la question de la morale, qui définit la justesse d'un acte en fonction de son impact sur autrui ou de son adéquation aux commandements d'une entité supérieure. Le réchauffement global est la conséquence d'actes qui rendent la vie personnelle plus facile. Ces actes ont sur le plan collectif des effets pervers particulièrement flagrants, mais ils perdurent, quoi qu'on en dise. L'absence de condamnation de l'exploitation pétrolière pour tout ce qu'elle implique de négatif est un symptôme parmi d'autres de l'anémie morale. Le consommateur de carburant jouit de sa position mais ne se sent pas lié à l'industrie pétrolière, ne se sent pas le financier d'un règne terrifiant. Il ne se sent pas impliqué parce qu'il n'est pas relié, comme le chasseur inuit n'est plus relié à sa proie depuis qu'il a troqué le harpon contre le fusil à lunette. Tout se règle à distance, et la vie spirituelle n'est pas assez dynamique pour compenser, par une proximité morale, la distance matérielle qui s'est accrue.

De fait, l'homme a perdu le contrôle de son destin. Non relié spirituellement, mais matériellement tributaire, il suit un mouvement général qui le conduit à l'aveugle vers un avenir ceinturé de gouffres. Ses jugements moraux, quand il en conserve, sont inefficaces et ramènent au folklore : l'humanisme se porte comme un costume d'époque, pour son bel effet sur les apparences. Et chacun de prêcher pour sa chapelle.

Le sacré a bel et bien disparu, et nous pouvons remercier les peuples autochtones qui ont la grâce d'en relayer des réminiscences. Nous n'élaborons pas une civilisation, car une civilisation a toujours un projet qui la guide et fait tendre ses efforts vers un objectif immatériel, nous perpétuons un système. Le projet ? La consommation, la sécurité, la croissance, comme d'habitude... Seul compte l'argent, et ceux qui le possèdent ont tout intérêt à entretenir la situation qui les distingue. Nous vivons dans un système qui s'applique à nous éloigner de la nature et de nous-mêmes, et un système, contrairement à une civilisation, est une construction rigide, incapable d'évoluer. On ne sort d'un système que lorsqu'il se brise.

Désenchanté, le monde ? Comment pourrait-il en être autrement ? L'enchantement appartient à l'espace que nous nions, qui est l'espace du sacré et du mystère. L'enchantement est le sentiment d'échange avec une dimension secrète ; sans lui il n'y a plus contact, il n'y a plus émerveillement, mais solitude. Le déni du spirituel a fait de l'homme un être isolé et imbu de lui-même. Pour tromper l'amertume, il persiste dans ses erreurs, redouble de zèle à contrôler ses comptes, sa carrière, sa retraite, et, manipulant le génome, ressort plus convaincu que jamais d'être son propre maître. Il a oublié que la Terre était plus grosse que lui, et que sur cette poussière cosmique de quelque six mille milliards de milliards de tonnes, il n'est qu'un invité.

La nature sauvage paraît enchantée à qui la découvre parce qu'elle est habitée. Elle est habitée, effectivement, mais non par nous. En intervenant à outrance sur les êtres et sur les choses, nous avons brisé l'enchantement, cette part d'immatériel qui embaumait les jours et distillait ce trésor si rare qu'est devenue la joie. Jadis, il était d'usage de rendre grâce au ciel. La pratique est largement tombée en désuétude, sauf pour les religieux, pour quelques communautés autarciques ou tribus reculées. Ces gens-là, qui ont pour tic de s'incliner devant ce qui les dépasse, sont quasiment les seuls à pouvoir être innocentés de toute complicité de meurtre contre la nature. En adoptant vis-à-vis de la création le respect qui lui est dû, moines, marginaux et primitifs feraient donc exception dans le genre humain. Vivre dans la reconnaissance du divin éviterait de se prendre pour un dieu soi-même.

Si invoquer Dieu sans cesse, présumer de son jugement ou prétendre agir en son nom n'a guère de sens, il est peut-être regrettable que nul ne lui adresse plus en public une pensée. Dans les médias, les paroles ne sont que des défilés de « je ». « Je » car je suis important. J'aime m'entendre parler de moi. Je fais des choses, je veux qu'on le sache, je vais être connu, je vais vendre. Je, je, je, l'étriqué, le rabâché. Jamais le nouveau, jamais le vaste. Jamais une formulation qui nous rappellerait que nous ne sommes peut-être pas le centre de tout, que des forces nous dominent, même si nous ne les identifions pas. « Si Dieu le veut », « à la grâce de Dieu » : des expressions devenues rares quand bien même elles respirent l'humilité, l'humanité, et entretiennent le lointain. Le sens du sacré, le sens du secret, voilà ce qui manque.

Ce n'est pas tant le progrès qui a écorché la Terre que le peu d'esprit avec lequel nous l'avons dirigé. La domination écrasante des préoccupations matérialistes sur toutes les autres nous prive du ressort qui pourrait nous sauver. Une sensibilité spirituelle commence par dire « je ne sais pas ». Dans le doute, la précaution s'impose. Qu'elle soit d'ordre moral privé ou d'essence religieuse, la retenue a aussi pour vertu de préserver une part de mystère et de laisser de la place au merveilleux. Et pas plus le merveilleux que le mystère n'ont perverti l'atmosphère. Les ingénieurs satelliseront des écrans pour réfléchir les rayons du soleil, répandront des nuages de soufre pour leur faire barrage, mais n'empêcheront rien. Plus efficace que la technique était le sens du sacré. Hélas, il nous fait défaut.

Que la glace fonde n'a rien de surprenant. Ce qui aurait été déconcertant, voire décevant, c'est qu'elle reste insensible. Que la violence ne l'atteigne pas. Mais la glace est touchée, bien plus que l'homme qui fait mine de ne pas entendre. L'homme sait faire semblant. Le lien, c'était pour apprendre à l'homme à retrouver sa propre nature, à ne plus faire semblant. Voilà ce que la glace avait à nous apprendre, davantage que la science. La nature nous accompagnait, nous reliait à tout ce qui vient d'elle, nous éduquait au respect et à la patience. Mais la nature est blessée, très gravement cette fois. La perte des glaces, c'est la perte du sang.

Ce n'est pas grave. Personne n'est là pour témoigner de ses éclats et écarts, de ses déambulations pacifiques sur la moire des mers profondes, de ses crépitements et ses longs silences habités, de sa parade de dentelle blanche sous les yeux bordés de larmes des nuées sombres. Nous ne voyons pas tout cela, car c'est trop loin, trop froid, et pourtant la banquise polaire est là, elle converse avec le soleil, et personne pour la connaître vraiment. Si elle s'éteignait, cela se ferait sans bruit, comme un rêve qui ne reviendra plus. Rien de spectaculaire à un tel estompement, il n'empêchera pas immédiatement l'économie de tourner, mais sans cette part lointaine de nous-même, cette part de rêve et de transparence, de désir d'absolu, c'est la vie même qui perdrait son sens.

L'étiolement des glaces éternelles confirme, s'il en était besoin, l'immoralité du système dans lequel nous nous complaisons, et tourne en ridicule les solutions qu'il préconise. La crise frappe de plein fouet, hormis la conscience, les finances, le travail, la biodiversité, la mer, le climat, l'énergie, la santé, l'eau potable… Toutes les questions clés. Et malgré la conscience que nous en avons, les difficultés ne cessent de s'intensifier.

Tout est parti d'un contexte moral appauvri laissant le cours libre aux fantasmes des uns et des autres, les privilégiés comme les modestes. Chacun s'est fait une place en puisant dans tout ce qu'il a pu trouver. Le principe moral signifiait la prise en compte de l'autre, le souci de l'impact sur la collectivité de nos choix personnels, réglés selon l'intérêt général. En dehors de toute préoccupation morale, donc, l'homme s'est servi, ne reconnaissant qui plus est aucun droit particulier à la nature dont il tirait parti. Et dès lors que le pétrole fut découvert, et qu'il sut en exploiter la puissance, il s'est senti tout permis.

Le pétrole nous ramène au mythe de Prométhée. On voit le héros dérober aux dieux le feu pour l'apporter sur Terre et permettre aux hommes de compenser les insuffisances de la nature. Reste que nous avons oublié qu'en bénéficiant du feu obtenu des énergies fossiles, nous avons acquis des pouvoirs régaliens et que de tels pouvoirs ne vont pas sans responsabilités à leur mesure.

Il est tentant d'associer le pétrole au mal : il est visqueux, malodorant, sale, obscur comme les strates géologiques d'où il est pompé, et dégage une chaleur infernale quand il brûle. Les profits pétroliers sont en outre à l'origine des plus spectaculaires disparités, des plus odieux pillages. Pire, ils précipitent les peuples qui bénéficient de cette manne dans l'aliénation matérialiste. Le pétrole est un appel à la corruption, il envenime les échanges et se love derrière les guerres. L'homme souille la peau de la Terre en libérant cette substance impure jusqu'alors enfouie.

Alors, on s'efforce de le cacher. On commence par le raffiner pour le rendre plus présentable. On dissimule son impact sur la nature et sur notre économie derrière le résultat de son œuvre : grâce à lui, nous avons eu bien chaud cet hiver, nous avons visité l'Australie et l'île de Pâques, nous nous sommes rendus chaque week-end dans notre maison secondaire, avons mangé des mangues du Venezuela et des kakis de Chine. En somme, tout va bien, et c'est pour cela que rien ne peut changer. Avoir une planète plus propre, préserver la biodiversité, oui, nous sommes tous d'accord, mais se fixer des limites, n'y comptez pas ! Le feu a été confié à des gamins.

Le pétrole ne trouve à l'heure actuelle aucune alternative crédible parmi les énergies renouvelables connues. Les ressources hydrologiques sont insuffisantes, l'éolien est d'un apport secondaire et irrégulier, l'hydrogène pose des problèmes de stockage et est fabriqué avec des énergies fossiles car énergétiquement déficitaire quand il est obtenu par électrolyse, la méthanisation ne couvre que de faibles volumes, le photovoltaïque coûte plus à la Terre qu'elle ne l'épargne, le solaire thermique demeure sous-exploité et d'un apport complémentaire, la pile à combustible reste hors de prix et d'un rendement décevant, les agrocarburants concurrencent les cultures alimentaires ou anéantissent les forêts primaires, les sources géothermiques sont trop localisées, etc. Rien à ce jour ne vaut l'or noir, rien, et tout y ramène. Et la demande mondiale ne fait qu'augmenter. Augmenter, encore, toujours, plus, plus ! Il s'il n'y avait que nos voitures pour dépendre entièrement du pétrole ! Comptons aussi les transports aériens et maritimes, l'agriculture, les travaux publics, l'armée, l'industrie chimique, la fonderie, la métallurgie, la plasturgie à la fois pour la matière première et la transformation, la verrerie pour la collecte, le transport et la fonte de la silice, les industries de l'engrais, du recouvrement routier, les carriers, les cimentiers, les bâtisseurs, les chauffagistes, les livreurs, les sucriers, les minotiers, les producteurs de carottes et de tomates, d'huile de tournesol et de lait en poudre. L'ensemble des industries lourdes, dès lors que la haute tension qu'elles utilisent est produite par des centrales thermiques alimentées au pétrole, au gaz ou au charbon, ce qui se passe dans 80 % des cas dans le monde, ne fonctionnent qu'en vidant le Terre de ses réserves, en accélérant le réchauffement global et en acidifiant les océans.

Comment agir concrètement ? Agir pour mettre un terme à ce processus de destruction de la nature et de nos moyens de subsistance, je présume. Quand je tiens des conférences sur le climat et les régions polaires, la question revient souvent. Je n'y réponds plus. Fermer le robinet en se brossant les dents relève du bon sens et du civisme élémentaires mais certainement pas de l'action, de même que trier ses déchets ; du reste, la majorité de nos déchets ne sont pas recyclables et finiront dans nos champs et prairies sous forme de dioxine – substance particulièrement toxique – après avoir été incinérés. Aucune action ciblant le grand public n'a de sens, aucune n'atteint seulement le contour de l'ombre des problèmes qui auraient dû être saisis à bras-le-corps.

Pour que le grand appel que nous avons entendu au milieu des années 2000, appel à la levée des consciences et à la réconciliation avec la nature, soit suivi, nous aurions dû nous inspirer des quelques véritables sages qui œuvrent dans la discrétion parce qu'ils ont la sobriété pour éthique personnelle, nous aurions dû laisser la voiture au garage les trois-quarts du temps, quitte à rester chez soi ou à travailler autrement, nous aurions dû cesser de prendre l'avion pour un rien, nous aurions dû réduire des deux tiers notre consommation de viande et de poisson, tolérer qu'il fasse un peu frais chez soi en hiver et un peu chaud l'été, imposer le bois dans la construction au détriment du béton, réduire les emballages, consigner le verre, se contenter du même écran de télé, changer la résistance du chauffe-eau plutôt que le chauffe-eau lui-même, développer le maraîchage en périphérie urbaine et arrêter le bitume, interdire le massacre des forêts, des mers et des rêves, bref, cesser de se prendre pour des seigneurs.

Nous n'avons rien fait de tout cela, absolument rien. « Moins de biens, plus de liens » clamèrent les hérauts d'un renouveau du monde. En vain : la tendance s'est renforcée dans la direction inverse. Jamais nous n'avons été aussi loin de la solidarité nécessaire. Jamais l'apparence, l'argent et les petites affaires de famille n'ont pris un tel ascendant sur la vie sociale, bloquant toute perspective aux initiatives désintéressées. Jamais l'énergie des hommes n'a été à ce point captivée par le faux, le vulgaire et le banal. Jamais on s'est autant repliés sur nos peurs. Jamais, et ce probablement de toute l'histoire de l'humanité, la vertu n'a été autant malmenée. Alors, changer le monde ?

Non, je ne sais pas quoi répondre quand dans le public une personne choquée par ces constats me demande ce qu'il reste à faire. Dans ce contexte, l'action individuelle est insignifiante. Quelle action, d'ailleurs ? Utiliser la bicyclette et les transports en commun plutôt que la voiture ? Pour faire quoi ? Le litre d'essence que nous ne brûlerons pas sera vite consumé ailleurs, et sans guère de scrupules, par les grands sportifs de la course automobile, par exemple, ou les grands aventuriers du raid motorisé. Faut-il se remettre à la marche pour permettre à quelques privilégiés de s'amuser ? Ou bien ne se priver de rien, comme eux, et que chacun se débrouille avec sa conscience. Il ne faut pas perdre de vue que plus l'on a d'argent, plus les opportunités de consommer sont nombreuses, et plus l'on pèse sur la planète. Plutôt que de chercher à accroître ses richesses, ne devrions-nous pas, dans un grand geste vertueux, nous en débarrasser ? Après tout, ce n'est pas tant le pauvre type qui fait fondre la glace, que celui qui part l'admirer sur un bateau de croisière.

Nous pourrons adopter les modes de vie les plus chastes, nous faire moine bouddhiste ou cistercien, cela restera insuffisant. Quel que soit l'impact des crises écologiques, pas plus de 3 % de la population consentira par elle-même à de substantiels efforts, et la donne ne sera pas modifiée. La majorité ira toujours au plus attrayant ou au moins cher, et nous ne sortirons pas du système avant de l'avoir épuisé.

Hélas, les moteurs expulseront longtemps encore des effluves d'huile de roche. L'emballement de la vitesse de fonte des glaciers confirme on ne peut plus clairement une responsabilité humaine qui, même admise, n'est pas assumée. Techniquement, l'humanité a réalisé des pas de géant ! Mais que savons-nous de plus du sens de la vie, de ce dont les cœurs ont soif ? Rien ; il est même probable que nous ayons beaucoup oublié. La cause de notre impuissance à reprendre en main nos destins, de notre anémie face au danger, tient au fossé qui s'est creusé entre le matériel et l'immatériel. Entre l'un et l'autre, la communication est rompue. Les hommes se sont décrétés seuls au monde et ont prétendu à tous les pouvoirs, mais ils ont trompé ceux qui espéraient encore, ils ont floué les âmes sensibles comme ils ont floué la nature. L'espoir n'est pas dans leur bouche. L'espoir est dans la permanence de la glace. Mais la glace qui tempérait la planète réfute sa permanence, elle abandonne son poste ! Quant à nous qui rêvions, incapables d'endiguer sa fuite, spectateurs d'une apocalypse annoncée, nous n'aurions plus qu'à nous replier sur nous-mêmes et à nous préparer au pire.

Troisième partie

L'AVENTURE

Baie de Quervin, Groenland, 70e parallèle nord. Le soir où le bateau devait nous récupérer, la tempête s'est levée. Vent constant de cent kilomètres à l'heure avec averses de neige. Aucune embarcation ne s'engage plus en mer. Les communications sont inexistantes. Onze personnes m'accompagnent, à qui je dois expliquer avec diplomatie que nous devons commencer à rationner les vivres.

Le groupe comprend sept hommes et quatre femmes. Ces dernières, plus sensibles au froid, s'exposent rarement. Leurs compagnons leur apportent l'eau chaude dans la tente, dès que j'en obtiens. Nous n'utilisons pas le réchaud ; la bouilloire est posée sur un foyer bâti avec quelques pierres, que nous alimentons avec des brindilles de saule nain ramassées alentour. Une pauvre bâche maintenue par deux pagaies prétend nous abriter du vent.

Quand le mauvais temps se sera éloigné, nous pourrons rembarquer et rejoindre le site d'Ataa. Là, nous croiserons peut-être un Groenlandais qui nous donnera un peu de saumon ou de phoque en attendant que l'on vienne nous récupérer pour nous amener à Ilulissat. La situation n'a rien d'alarmant, mais une tension est apparue, conséquence de frustrations que l'on n'hésite plus à exprimer. On maugrée contre ce coin pourri, contre le bateau raté, on fantasme sur les plats cuisinés sur lesquels on affirme avec une vantardise incongrue qu'on se jettera aussitôt de retour. Il nous reste pourtant des sachets de purée, des pâtes, du beurre, du chocolat. Que souhaiter de mieux en la circonstance ? J'interviens pour raconter l'histoire de l'expédition de sir John Franklin partie en 1845 à la recherche du passage du Nord-Ouest et que la famine a décimée. Ne pas se plaindre est le moindre des respects que l'on doit à ceux qui ont réellement souffert.

Les séjours aventureux vendus par certaines agences de voyages proposent tout, précisément, sauf de l'aventure. L'aventure implique l'absence de programme préétabli et de certitude, *a fortiori* de garantie et d'assurance. Or, bien peu s'engageraient si leur séjour n'était pas absolument sûr et exempt de surprises. Dans un raid arctique, le guide est là pour endosser les inconvénients de l'aventure afin que ses clients n'en conservent que les charmes. Un coup de vent, trop de glace ? À lui de modifier la route et de braver l'inconnu. Une trace d'ours un peu trop fraîche, il sort le fusil. Un bivouac sans eau douce, il trouve de la glace à fondre. Un jour d'ennui, il fait le clown. Et chacun de reprendre l'avion avec les plus beaux souvenirs possibles.

Rien dans tout cela n'implique de rencontre avec l'impondérable et pourtant, c'est le mot aventure qui est utilisé pour vendre. C'est que l'aventure fait envie. Elle promet la surprise dans un monde trop prévisible. Elle est désirable de par les émotions qu'elle seule semble encore pouvoir susciter. L'aventure, c'est une entorse au rythme social, un épisode de vie mieux chargé d'existence, un rapport à soi plus étroit. L'aventure apporte au corps les sensations qui lui manquent, fait appel aux fibres musculaires, à la vue, à l'oreille, au toucher, pour vivre comme on avait oublié de vivre : naturellement. Aventure… Quel mot ! Le voilà même qui réveille le désir archaïque d'une récompense qui n'irait qu'au mérite, qu'à la bravoure. Cette récompense sera probablement de dire « j'y étais » en projetant aux amis les photos du voyage. Se sentir un petit peu au-dessus de la mêlée vaut bien un sacrifice financier.

Où est le mérite dès lors que le seul objectif d'un voyage est le contentement de désirs personnels ? De grands désirs sont admirables quand ils débouchent sur de grandes actions, mais des désirs en demi-teinte, dont la satisfaction n'admet pas l'improvisation ni surtout le danger, ni la restriction, méritent-ils les plateaux qu'on leur présente ? Il y a une duperie dans le commerce de l'aventure. L'on use d'un mot alléchant pour n'offrir qu'un plat de cantine. Le client se laisse aimablement tromper parce qu'il n'aspire pas à la véritable aventure. Il souhaite échapper quelques jours à son quotidien en y glissant espace et dépaysement, vivre entre parenthèses ce dont il ne voudrait surtout pas faire son ordinaire. Il n'a par ailleurs jamais prétendu en avoir le courage.

Dans le groupe, les deux ou trois qui commencent à renâcler redoutent que l'aventure devienne réelle. Ils se laissent impressionner par le temps épouvantable, et des angoisses affleurent. L'une des femmes m'adresse une réflexion sur le ton d'un ultimatum. Je suis probablement responsable de la tempête comme des péripéties qu'elle ne voulait pas connaître. Je lui retourne une réponse un peu sèche. Un garçon intervient en taquinant gentiment la jeune femme, tandis qu'un autre l'invite à apprécier la liberté supplémentaire que lui apporte ce retard.

Certains dans l'équipe paraissent inébranlables. Toujours le sourire aux lèvres, toujours volontaires, infatigables à entretenir le feu ou à fendre le bois. Gardant leurs distances pour ne pas se laisser atteindre, ils gardent aussi l'équilibre. Je les trouve d'autant plus admirables qu'ils disposent sans en user de la possibilité d'exprimer leurs doutes, possibilité que je n'ai pas, puisque la confiance du groupe repose sur la mienne. Leur réserve est leur façon de me soutenir. Ils seraient certainement mieux à même que la plupart de leurs contemporains de s'en sortir en cas de bouleversement majeur. C'est toujours ce à quoi je songe : que ferions-nous si nous étions brutalement poussés à nous battre pour survivre ?

De nouvelles rafales de neige. Je décide, plutôt que de retourner m'abriter dans la tente, de marcher vers la rive opposée de la péninsule, vent de face. Je veux voir à quoi ressemble la mer là où rien ne brise les vagues. Est-ce une accalmie que promet, à l'ouest, cette timide pâleur de l'horizon ? D'une certaine manière, j'aimerais que nous restions bloqués. J'aimerais, moi qui suis né dans une société de profusion, connaître la privation. Je ne puis m'empêcher de penser que nous vivons sur un nuage et que nous en retomberons un jour ou l'autre, et que nous serons alors confrontés, et sans l'avoir choisi, au froid, à la faim, au manque, au danger. L'Arctique m'apprend aujourd'hui à vivre avec le minimum. Je crains un avenir où l'Europe nous donnerait des leçons similaires.

Il n'y a pas de mal à partir en voyage, d'autant moins que les rythmes modernes nécessitent souvent, pour demeurer supportables, le dépaysement que propose le tourisme lointain. Beaucoup parmi les personnes que j'ai emmenées au Groenland ou au Spitzberg m'ont affirmé avoir réalisé là le voyage le plus marquant de leur vie. Je m'en réjouissais mais, en même temps, me demandais si ces séjours étaient bien nécessaires, et si mon propre métier ne s'apparentait pas à une usurpation de la nature.

Ce qui distingue le scientifique du touriste, c'est le devoir. L'un a des programmes à mener à bien, l'autre non. Le scientifique, en rendant à la nature, par son travail, une partie de ce que la nature lui donne, s'estime dans son droit et aimerait que les lieux rares lui soient réservés. Le touriste, à la différence du chercheur, du journaliste ou du grand voyageur qui respectivement apportent à la collectivité de la connaissance, de l'information et du rêve, n'a rien à apporter en retour de ce qu'il reçoit. Il ne se sent pas redevable.

Un certain nombre de visiteurs des hautes latitudes se rachètent de leur curiosité par l'effort qu'ils consentent à déployer, marchant ou pagayant plutôt que d'embarquer sur un navire de croisière. Mais ils restent consommateurs, la satisfaction personnelle étant l'objectif quasi exclusif. D'un séjour vécu dans leur chair, ils pourraient rentrer avec des convictions profondes, des visions élargies, une soif irrépressible d'agir et de protéger. C'est rarement le cas. Certes, ils ont été touchés, et séduits. Mais le plaisir l'emportant toujours sur le devoir, ils ne consacreront pas leurs économies à une cause. Ils les emploieront l'année suivante à partir plus loin, ou plus souvent, faisant brûler aux avions qui les emporteront encore plus de kérosène.

Le touriste ne fait pas de mal en soi. Utiliser les transports aériens n'est pas un crime. Mais le touriste ne fait que prélever. Il prélève du carbone enfoui dans le ventre de la Terre. L'homme devait veiller à ce que l'énergie arrachée aux poches géologiques ne corrompe pas le ciel et ne porte pas atteinte aux écosystèmes. Or le noir du pétrole l'emporte sur le blanc de la neige. Le blanc disparaît, le bleu devient gris. Voilà ce qu'apporte le touriste, parmi tant d'autres généreux donateurs. En ne se fixant pour objectif que de se contenter lui-même, au maximum de la satisfaction à laquelle il peut aspirer, le touriste que nous sommes tous amenés à être prend, prend, et ne rend rien.

L'anecdote nous vient de Joinville, chroniqueur de Louis IX. Un jour, le roi, s'attardant sur le caractère râpeux de la prononciation de la lettre « r », fit remarquer à quel point il était facile de prendre, et difficile de rendre. Lui, qui était né roi, jouissait de plus de facilités que quiconque à se servir sur la nature et sur le labeur des autres, et à puiser dans les bontés de Dieu. Il était conscient, cependant, que ce qui est pris doit être rendu. Les soins qu'il portait aux pauvres, sa passion pour la justice, ses efforts en direction du tombeau du Christ, étaient autant de façons de rendre à Dieu les grâces qu'il en avait reçues. Tout ce qui ne sera pas rendu, disait-il, sera repris non pas par la main de Dieu qui a donné, mais par les « râteaux du diable ». Et dans « rendre », on entend déjà le « r » des râteaux féroces qui raclent, arrachent et broient.

Une société qui abuse des générosités de la Terre et détruit le vivant à des fins de spéculation est une société éloignée de Dieu. Comment ne pas penser, à l'instar de Saint Louis, qu'il ne nous faudra pas un jour rendre ce que nous avons pris ? Mais rendre est difficile, alors nous nous agrippons. Nous nous agrippons à nos bagnoles, à nos vacances exotiques, à nos réflexes de consommateurs, à nos 25 °C été comme hiver... Le nez collé à nos habitudes pour ne pas voir, dans le ciel, le diable qui fourbit son râteau.

***Ravage* m'avait beaucoup impressionné.** Dans ce roman, René Barjavel décrit un Paris futuriste soudainement privé d'énergie. L'électricité a disparu sur la Terre entière, plus rien ne fonctionne, les communications sont coupées, portes et ascenseurs restent bloqués, les trains déraillent et les avions s'écrasent. Pris de panique, les habitants tentent de fuir la ville où l'eau fait déjà défaut. C'est d'abord la peur, puis la cohue, puis le saccage et la barbarie. Seuls ceux qui ont conservé un lien avec la nature parviennent à s'en sortir en gagnant la campagne, et en réapprenant à s'organiser dans la simplicité.

Plus grande est notre dépendance aux objets et aux institutions, plus fragiles nous sommes. Une crise pétrolière majeure aurait des conséquences assez similaires à celles décrites dans *Ravage*. L'économie s'effondrerait, les villes seraient plus difficilement ravitaillées, la misère s'étendrait et des hordes sèmeraient la terreur. On assisterait à un exode vers les campagnes, lesquelles devraient s'armer pour se défendre. Notre dépendance pathologique au pétrole rend plausible un tel scénario, et ce n'est pas un hasard si tant de gens envisagent le futur avec pessimisme. Nous savons que notre modèle de vie ne résistera pas à la durée. Parce que nous ne faisons que consommer, nous engendrons un système qui ne s'appuie que sur la consommation, sans tenir compte des idées, d'où qu'elles viennent. Rien ne pourra donc évoluer. Et comme ce dont nous disposons nous paraît, comparativement à ce dont jouissent les plus aisés, tout juste suffisant, nous cherchons à consommer encore davantage. Nous nous précipitons sur tout gadget ou instrument de loisir que le développement rend accessible. Nous contribuons à une logique qui demande toujours plus d'énergie, et qui rejette toujours plus de gaz à effet de serre. Aucun choix politique n'inversera la tendance. Tant que le développement durable ne développera pas durablement l'intelligence et le cœur, rien ne changera.

Le progrès a flatté l'idiot qui est en nous et l'a sommé de se reproduire. Parce que le système productiviste nous a convaincus qu'il faut avoir pour exister, nous refusons la moindre contrainte, la plus saine retenue. Pourtant la restriction, ne serait-ce que passagère, fut le lot de toutes les générations qui nous ont précédés. Nos grands-pères ont connu les tickets de rationnement. La France a traversé quinze siècles sans chauffage central, sans électricité, sans eau courante, et n'en a pas moins connu ses plus grandes heures. Qui nous rappellera que le Paris que le monde vient admirer s'est édifié à la seule force des ouvriers et du cheval ? Une vie laborieuse, ancrée dans le réel, sobre, n'a jamais été un obstacle à l'érection des cités, moins encore à celle des légendes. Simplicité matérielle et lenteur ne nuisent pas plus aux grands travaux qu'aux petits bonheurs. Nous ne reviendrons pas en arrière, mais le reniement si prompt de valeurs transmises par des siècles de travail patient a fait de nous des êtres dangereux. Nous nous sommes affranchis du réel pour évoluer dans une bulle abstraite où nous ne considérons plus que nous-mêmes. Viendra nécessairement un jour où la bulle éclatera. Alors nous retomberons dans le réel.

L'on dit que se projeter dans l'avenir c'est résister au présent. Je ne le souhaite pas. Le présent auquel j'ai résisté est celui que j'ai connu en France. Mes explorations n'étaient pas géographiques, puisque la cartographie a dépouillé les mystères : je partais vers le froid me projeter dans le futur. Or, le futur que l'on explore autour du 75e parallèle rappelle un très lointain passé. Environnement hostile. Souci constant des besoins vitaux. Hommes rares. Vie tribale. Si, dans ma résistance au présent, je me suis effectivement projeté dans l'avenir, alors l'avenir sera sauvage et furieux.

Sans doute nos prédécesseurs menant leur révolution ou combattant l'occupant se projetaient-ils dans le futur. Leur résistance au présent se fondait sur le rêve d'un jour nouveau qui se lèverait sur la liberté. La liberté acquise, nous avons perdu le rêve et ne résistons plus, nous abstenant par là même de l'effort d'anticiper l'avenir. Pourtant le temps avance, nous dépossédant petit à petit, insidieusement, de ce que les anciens ont obtenu par des sacrifices et des coups d'éclat.

Comme d'autres, je résiste, mais sans bien savoir contre quoi. Contre un présent traître, maquillé, qui, derrière la promesse de conforts et de droits supplémentaires, accommode l'effondrement de ce que nous regardons comme inaltérable. Je vais dans l'Arctique pour me contenter du minimum car dans ce que j'entrevois de l'avenir, il ne reste presque plus rien. La vie rudimentaire dans laquelle j'entraîne les touristes a valeur de stage d'anticipation.

Survivre. Qui dans le groupe est le mieux prédisposé ? Ces séjours accueillent des individus qui savent à quoi ils s'engagent et sont donc relativement prêts. Le mauvais temps ne les ébranle pas. La situation est inconfortable parce qu'elle dure ; l'immobilité laisse circuler des idées qui remplissent l'attente. Comme toujours, la difficulté est moins physique que mentale.

Nous sommes en 2060. Le réchauffement climatique s'est révélé plus rapide que prévu. Malgré les avertissements des scientifiques et les diverses contraintes imposées par les gouvernements, la consommation d'énergie fossile n'a fait que croître, doublant en l'espace de cinquante ans. L'explosion de la consommation en Asie a par ailleurs rendu futiles les tentatives des Occidentaux pour bien faire. La calotte glaciaire du Groenland s'est disloquée, perdant la moitié de son volume et provoquant une montée supplémentaire des océans de trois mètres. Les cultures de végétaux utilisés pour fabriquer les agrocarburants ont remplacé les derniers espaces sauvages. Les plaines les plus fertiles sont noyées, le désert est aux portes de l'Europe, des centaines de millions de personnes souffrent de la faim. Le carburant obtenu par la liquéfaction du charbon est hors de prix. Qu'elle fonctionne à l'essence, à l'éthanol, à l'électricité ou à l'hydrogène, l'automobile est réservée aux services de l'État, aux industriels et à la mafia. Le monde est sous le contrôle des grands groupes financiers ; le taux de chômage dépasse 60% et les protections sociales ont volé en éclats. Les privilégiés maintiennent un semblant de civilisation dans des cités où ils se barricadent, se réservant l'accès à l'eau potable et au réseau de communication. En dehors de ces cités, une seule obsession : survivre.

Nous avançons vers l'avenir comme je pars en

expédition vers l'inconnu. La différence, c'est que j'anticipe et que je me prépare. Il ne me viendrait pas à l'idée d'aller au-devant de dangers comme si ces dangers n'existaient pas. C'est pourtant ce que nous faisons. Notre subordination à l'appareil économique nous place dans une situation de vulnérabilité inédite dans l'histoire et, cependant, nous continuons notre chemin comme si de rien n'était, les yeux rivés à nos pieds pour ne pas voir l'horizon qui s'assombrit. Nous ne nous préparons en rien.

On dit que le Groenland possède quatre fois la superficie de la France. Ce n'est pas tout à fait exact. Il est en vérité plus petit, dès lors qu'on s'abstient de compter la superficie recouverte par la glace. Quant au territoire groenlandais habitable, il n'excède pas la taille d'un département. Les habitants se nichent sur les rares zones rocheuses à même d'accepter des constructions. C'est pour cela que le Groenland est magnifique : la part de l'homme y est minuscule, et l'immense majorité de l'espace demeure sous le joug exclusif de la nature.

La nature ne vieillit pas, et son spectacle est éternel. Le temps a passé sur nos visages, à nous, êtres humains, il a distendu nos chairs, creusé ses sillons. Notre peau s'est flétrie à la poussière des jours. Un animal ne porte pas la marque du temps de manière si voyante ; plumes ou fourrures masquent les plis. L'Arctique fait mieux encore, puisqu'il est neuf à chaque été. Il renouvelle constamment sa fraîcheur. Au soleil, la glace pilée qui déambule à la surface des fjords émet des bruissements presque poupins. Le glacier est vieux, lent et poussif ; sa surface est gercée, ses rides sont ses crevasses. Quand vient son dernier jour, il garde le front pendu au-dessus du gouffre, puis d'un coup, s'effondre. Alors il renaît. Autonome, libre, errant à divers grés, l'iceberg est adolescent, et comme il poursuit son chemin, il devient plus petit, enfantin et transparent. Il rajeunit encore. À rebours du temps, la glace se retrouve nourrisson, embryon, puis enfin molécule unique : eau.

Là-bas, je vois le paysage qui reprend son cycle. Il n'a pas changé. Presque pas. Il est aimant comme au premier jour. En m'obligeant à assurer mes besoins vitaux avec le minimum de moyens, il ne m'humilie pas, mais me rapproche de l'enfance de l'humanité. Une façon de préserver sa jeunesse. L'élémentaire suffit à combler les attentes, et pour qui dispose de quoi s'abriter et apaiser sa faim, rien ne fait défaut. Ni doute ni ennui. Et la nostalgie elle-même finit par s'estomper quand plus rien ne ramène à ce qui pourrait manquer.

L'observateur, tant il y a de glace dans les fjords, sera tenté de croire que le réchauffement n'est pas avéré et qu'il fait bien toujours aussi froid. L'Arctique se présentera à lui dans toute sa splendeur, brillant des mille coruscations de ses diamants ! Or davantage d'icebergs en mer s'explique par un écoulement plus rapide des glaciers, et par l'épuisement du volume en réserve. Il en va de même de la civilisation. Plus d'agitation dans le commerce et les médias, plus d'images et plus d'argent dans tout, masque un phénomène d'épuisement global des ressources non visibles. C'est toujours avant sa chute qu'un empire étale le plus de fastes. Comme la surenchère de bruit ne prépare jamais que le retour du silence, le tintamarre des glaces ânonne leur agonie.

Le moment est venu de trouver refuge. De s'organiser de manière autonome, et de se dégager progressivement de ce qui nous a enveloppés. La réponse à la crise globale ne pourra être que locale ; il faudra s'implanter là où subsiste un peu d'espace, et cultiver son jardin. Un lieu pour se garder autant que faire se peut des inhumanités de la crise, mais aussi un antre pour redevenir sauvage, et tout recommencer.

Recommencer, là-bas, signifie dresser un assemblage de chevrons et y clouer des planches. On n'oubliera pas de doubler l'isolation des murs ni de goudronner les panneaux du toit. L'eau est obtenue en laissant fondre dans une bassine des débris d'icebergs collectés sur la plage. Un vieux poêle à bois placé au centre de la bâtisse complétera le confort. Car il s'agit bien de confort, dans ce pays où la simplicité s'impose. La rusticité de l'habitat n'est jamais une honte pour qui a l'habitude de vivre dehors : le nomade s'émerveillera des quelques planches qui protègeront du vent la flamme de son réchaud. Pour lui, le bonheur, ce n'est pas avoir beaucoup, mais juste assez pour s'abstenir un moment de lutter. Aussi faut-il repartir, s'exposer encore aux caprices de la nature, pour connaître à nouveau la joie de trouver refuge.

Nous vivons tous hors la loi de la nature qui appelait au nomadisme : nous nous implantons et nous organisons pour que les biens soient à tout moment disponibles. Et nous sommes fascinés par celui qui sait encore partir. Le voyageur empoigne le réel au jour le jour, il est l'antidote au mal-être et à l'endoctrinement, il est la bête noire du banquier et du préposé des impôts ; le nomade est libre. Mais les démocraties n'ont de cesse de le sédentariser. Sa façon de vivre n'est pourtant pas facteur de réchauffement climatique ! Il n'est coupable en rien de ce qui blesse la Terre, mais a l'impardonnable tort de faire ressortir, par sa seule existence, l'absurdité de nos doctrines.

J'ai longtemps rêvé d'une cabane au sud du Groenland. Mon dernier séjour là-bas, après une absence de quinze années, m'a détourné de ce rêve. Mes chers icebergs avaient, en taille, diminué de moitié, en raison du tassement des glaciers qui les produisent. Le dynamisme végétal était devenu tel que les moutons ne parvenaient pas à tout brouter, et les prairies, qui jadis étaient rases, ondulaient désormais avec le vent. Le plus étonnant demeurait la température ; tout l'été à l'aéroport de Narsarsuaq, le thermomètre a paru s'être bloqué à 16 °C, et la pluie n'en finissait pas. Pas ce crachin arctique affiné par la bise, mais une pluie soutenue, persistante, exténuante, de celles que connaît l'Écosse. L'été suivant, je suis allé plus au nord, à Upernavik, dans l'espoir de retrouver un climat polaire. Si les icebergs paraissaient de taille respectable, il manquait une fois encore aux lieux son seigneur : le froid.

En Europe, le froid défait. Il éconduit les oiseaux, fige les arbres, ramène tout au gris, à l'ingratitude et à l'attente. L'attente du mieux, du printemps ; l'hiver, sous nos latitudes moyennes, ne charrie jamais que déshérence. Le froid polaire, lui, s'oublie derrière ses œuvres. J'attends non pas qu'il passe, mais qu'il crée, et, une fois juin, qu'il se tempère pour mieux présenter son travail. J'aime ce que produit le froid, les montagnes qu'il met à nu, la mer qu'il saisit, cette distance qu'il impose aux hommes et l'armure d'étoffe qu'il les oblige à porter. J'admire les efforts de la vie pour composer avec lui, l'indifférence des phoques, l'excitation des bruants et des sternes, l'effronterie mauve des saxifrages. J'aime par-dessus tout la transparence de l'air dans la fraîcheur saturée de lumière. Et l'orgueilleux sentiment que les montagnes n'existent que pour soi. Lorsqu'il n'est que saisonnier, le froid est ingrat et la chaleur lui est bien souvent préférable, mais chez lui, avec la roche pour matériau, il se révèle le plus puissant des créateurs.

Je ne sais plus où le trouver. Restent ses sculptures colossales, fjords et falaises, souvenirs immobiles quand le ciseau de glace s'est émoussé. Je reconnaîtrai le froid sur la côte orientale, peut-être, amené par les flots qui coulent de l'océan Glacial. Ces courant charrient tant de lourds plateaux et de blocaille que je ne peux croire que la chaleur l'emporte durablement, même si les glaciers postés le long les rives font d'ores et déjà grise figure. Je convoite, je l'avoue, le tohu-bohu des banquises et l'acrimonie du ciel.

Tant qu'il n'était que vagabond, l'homme ne laissait guère de traces. Mais il n'a plus aimé se confronter aux forces de la nature, il leur a tourné le dos et s'est mis à construire dans son coin. Nous avons marqué le sol du sceau de notre vanité : le béton incruste pour des siècles une prétention individuelle qui n'allait pourtant qu'avec la durée d'une vie. Si nous avions construit en bois ou en terre crue, nous aurions bénéficié du même confort, et nos maisons, temporaires comme nous le sommes, seraient facilement revenues à la poussière. C'était le cas jadis : les hommes, s'acceptant mortels, ne souhaitaient pas imposer leur mémoire à leurs descendants ; leurs maisons étaient en paille et en torchis. Et quand ils construisaient pour défier le temps, ils ne construisaient pas pour eux-mêmes, ils dressaient des cathédrales. Ainsi ils réservaient l'éternité à ce qu'ils vouaient à l'éternel. Aux générations à venir, notre civilisation déspiritualisée ne laissera pas une représentation magnifiée de l'au-delà, mais les stigmates indélébiles de l'ici-bas.

Peut-être parce qu'il a honte de ses réalisations, le siècle se focalise sur ce qui ne porte pas à conséquence, comme l'événementiel, le spectacle ou le sport. Il se pâme devant ce qui n'engage à rien et valorise l'échappatoire au point d'en faire une destination. La civilisation perd pied. Lucide, parfois, elle se critique et pour un peu ne voudrait plus d'elle-même, mais elle se montre incapable de proposer autre chose qu'elle-même. Pour avoir rompu avec toute réalité qui ne soit pas exclusivement issue de ses programmes, pour avoir camouflé la fixité de ses schémas derrière les performances d'une technologie sans cesse en mouvement, la civilisation a rompu avec sa propre capacité à évoluer, et cette capacité s'appelle l'histoire. La civilisation ne tient plus qu'à l'image instantanée que lui renvoie l'écran de ses prestations techniques. C'est pourquoi elle ne peut faire autrement que de nourrir ce qu'elle dénonce.

Il manque à l'homme l'occasion de se mesurer, de se construire pas à pas comme on érige pierre après pierre. Il lui manque la psyché de la nature dans laquelle il se verrait sans masques ; il lui manque l'architecture primaire des falaises pour lui renvoyer l'écho de ses gageures. La maison périt. Il souffre, l'homme enfermé, l'homme privé d'obstacles à surmonter. Il tourne en rond, papillonne, hésite, ne sait plus, n'a jamais su, prend peur du jugement des autres et se rend malade à se méjuger lui-même. Le grand corps que nous avons bâti nous fait souffrir d'une conscience qui ne s'y sent plus chez elle.

Nous faisons le plus souvent comme si la violence n'existait pas. Nous dissimulons derrière des écrans de bruit, d'images et d'objets, l'immense brutalité de notre monde, sa prodigieuse supercherie, son mercantilisme amer. Et notre corps tout fait de muscles, notre tête dure, ne voient plus l'ennemi qu'ils doivent terrasser. Assailli par mille agressions maquillées, notre corps, ce nous-même, se replie sur lui, sur sa propre contemplation, convaincu qu'une société qui défend avec le sourire la raison de la majorité, la défend pour notre bien, et qu'il serait malvenu de lutter. Les dragons ont de grosses voitures, posent devant les photographes, se racontent dans la presse. À se présenter sous leurs plus beaux atours, en nous devenant familiers à travers les médias qu'ils colonisent, ils nous font oublier que nous devrions leur faire la guerre.

L'Arctique, c'était ma guerre. J'aurais préféré la mener ici, mais contre qui ? Y a-t-il un ennemi déclaré ? Je disposais de forces pour ce combat-là, mais il n'était pas loyal : l'assaillant restait invisible. Ma violence, je ne pouvais donc rien en faire, et plutôt que de la nier ou de la domestiquer, la libérant à petites doses et à heures fixes, je l'ai lâchée contre le vent. Et tant pis si le vent me la retournait en plein visage ! Peu m'importait la démesure de l'adversaire – le vent tout comme le monde est un Goliath –, il m'importait que cet adversaire se montre tel qu'il est. Ne se grime pas, ne minaude pas pour désamorcer par quelque séduction les velléités de la colère. Et surtout, qu'il se garde de l'outrecuidance de prétendre à mon bien. J'aimais la glace pour cela. Elle était honnête. La violence qu'elle m'infligeait ne me faisait nul tort, mais me proposait de m'aguerrir.

L'environnement dans lequel nous vivons, trop habile pour exposer ouvertement sa brutalité, ne sollicite pas en retour notre réplique décidée, et nous laisse avec nos blessures. La violence n'est pas nécessairement négative, elle est bien souvent la réaction de la vie qui se prémunit ou se cuirasse. Faute d'avoir été défendus par les énergies mêmes que nous recelons, nous tombons malades, nous sombrons dans les catacombes d'inextricables détresses, et consultons un thérapeute. La violence destinée à nous préserver, car elle permettait de contrer des violences plus grandes, de triompher des périls, de vaincre les tyrans, et dont nous ne savons que faire puisque la société la condamne, cette violence indispensable à la vie se retourne contre la vie même. Voilà le coup d'épée destiné au dragon qui s'abat sur nos têtes, et nous tue au petit feu de l'ennui, du mal de vivre ou de la déshérence affective.

Aussi les dragons poursuivent-ils leur œuvre mortifère sans être inquiétés. Et la Terre, comme pour évacuer la maladie, monte en fièvre ; les toits de glace ruissellent. Les hommes se sont lancés à cœur joie dans ce grand chantier d'un monde tuant le monde. À ne travailler qu'au remplissage de soi, conservant prudemment nos distances avec le lointain et le hasard, la vie s'est normalisée. Et l'individu, telle une pièce de mécanique, ne réagit plus que par rapport à ce qui touche sa place dans les rouages. Nous naissons, grandissons et mourons, absents à nos révoltes.

Qui était vraiment Henri Hudson, lui dont le nom baigne toujours New York, et qui disparut, sur la barque dans laquelle l'équipage mutiné l'avait jeté, dans cette vaste baie elle encore marquée de son nom ? De quelle trempe étaient faits les Martin Frobisher et les William Baffin, pour aller au-devant de telles épreuves ? Quelle ampleur devait avoir en eux le désir, pour passer outre la terreur ? Peut-on seulement imaginer leur effarement devant les glaces, sentir une seconde brûler la passion qui les dévorait ?

L'homme d'alors était, comme celui de maintenant, animé par ses fictions. Des fictions d'autant plus élevées et exigeantes que l'adversaire – la nature – était puissant. La nature ramène systématiquement au réel. Ainsi, l'histoire de l'exploration n'est autre que celle d'un combat entre la fiction de l'homme et la réalité de la nature. Longtemps, les forces restèrent à peu près équilibrées : l'explorateur accédait à quelques-uns de ses rêves, mais leur payait un lourd tribut.

Aujourd'hui, la réalité apparaît de plus en plus difficile à distinguer derrière l'écran triomphant des fictions humaines. L'équilibre entre les forces est rompu : l'homme gagne sur tous les tableaux, et un tremblement de terre ou un typhon ici ou là le contusionne à peine. On fait d'ailleurs si peu attention à la nature qu'on ne relève sa présence que dans ses manifestations destructrices. Les manifestations créatrices ne font la une des journaux que par le biais des profits qui en sont retirés : tout bienfait est convertible en données économiques et financières. L'homme, désormais tout-puissant, ne fait plus que se servir, alimentant des chimères sans cesse croissantes et qui le placent devant un danger sans cesse plus grand.

Il n'y a aucune fin théorique à l'extension d'une chimère. Le navigateur polaire d'antan abordait le réel de plein fouet, et il perdait la vie quand son rêve se révélait trop déraisonnable. Nos rêves modernes sont tous déraisonnables, mais nous n'en essuyons plus les conséquences. Nous avons des assurances contre les retours intempestifs des vieilles réalités. Nous croyons en ce que nous voyons, c'est-à-dire bien peu de choses ; pensant être seuls au monde et propriétaires de tout ce qui existe, nous évoluons dans une impunité presque totale. Nos raisonnements n'étant plus fondés sur la relation à la nature, des valeurs tels le courage, la patience ou le respect de la parole donnée tombent en désuétude. Nous nous satisfaisons de morales approximatives, jonglant avec des virtualités dont la destination finale n'est que le grand soi-même.

La virtualisation du monde devient telle qu'elle désarme les générations. La jeunesse, convaincue par la profusion d'images, de sons et de technologies, que le réel n'est plus nécessaire, a bien souvent renoncé au combat. Elle craint pour son avenir, craint pour ses finances, mais aucune cause ne l'anime. Des dizaines de milliers d'espèces vivantes peuvent disparaître, les contaminations s'étendre, le pétrole nous mener à l'asphyxie, elle laissera faire, et ne descendra dans la rue que pour défendre des intérêts étriqués. Son projet dominant tient dans un emploi stable et une vie rangée. La profusion des possibles, l'éloignement du réel, la peur de ne pas tirer son épingle du jeu, conduisent à ce repli égotique dont la conséquence est d'accélérer la chute du monde. Asthénie morale et paresse devant l'inconnu sont les plus redoutables des fléaux ; ils relaient le mot d'ordre funeste du « tout le monde le fait ».

Une jeunesse qui se couche, tiraillée entre les séductions du virtuel et des velléités de justice jamais traduites en action, accompagne le monde dans un crépuscule dont on peut légitimement désespérer. La formule de Friedrich Dürrenmatt n'en paraît que plus pertinente : « Nous ne devons pas tenter de sauver le monde, mais de subsister ; c'est la seule véritable aventure qui s'offre encore à nous, en cette heure tardive de l'histoire. » Car il se fait tard, oui. L'histoire est fatiguée.

Mais l'aventure a encore un sens. Cette frénésie consumériste place celui qui rechigne à contribuer à la curée devant une situation inédite. L'humanité nous livre le spectacle le plus insensé de tous les temps : son autodestruction. Quiconque entre dans les rangs contribue à ce suicide. Mais pour qui voudrait vivre avec les mains propres, il reste l'aventure. Comme les écologistes le répètent, « il faut changer », mais nous sommes pris au piège et ne changeons pas. Celui qui prend la décision de se priver de toit, de véhicule et de chauffage, est l'un des rares à opérer le changement invoqué. Le choix de l'aventure n'est pas celui de la décroissance, mais celui de l'ascension vers de plus hautes satisfactions, vers une vie qui reprend de la saveur et du sens. Car pour le voyageur intrépide il s'agit, avant que d'épargner un peu la Terre, de subsister en son âme et conscience.

Nous continuons de vivre comme des animaux gourmands, ramenant perpétuellement à nous les biens et les avantages. Certains se détachent. Non qu'ils méprisent le confort, mais ils ne voient pas en lui une destination. Le plus important, ils le conquièrent dans l'effort, effort souvent ingrat et à peine reconnu. Ils vont jusqu'à se dépouiller pour s'approcher de ce qui, pour eux, fait sens, et familiariser un peu ce satané monde à des usages qui lui seraient moins funestes.

L'essentiel a été dit de longue date, puis oublié, puis redit, et redit, simultanément qu'oublié. L'acquis technique, lui, permet toujours d'accéder à un acquis supplémentaire ; l'acquis moral, non. Tout est constamment à refaire et l'on dirait même que l'humanité redémarre chaque matin de plus bas. Plus vite on croît d'un côté, plus rapidement on régresse de l'autre. Henri Bergson compte parmi ces philosophes qui nous éviteraient, si nous nous préoccupions de capitaliser sur la pensée, de reculer de trois marches chaque fois que nous pensons en avoir gravi une.

L'être humain est enfermé dans ses propres constructions : une croyance scientifique, un rite religieux, une conviction politique comptent parmi ces constructions. Il y a, selon Bergson, de l'infantilisme à se complaire dans ces constructions closes et statiques. Il faut s'en libérer, et pour cela traverser une crise qui permettra de passer du clos à l'ouvert, du statique au dynamique. Ce bouleversement introduit la nouveauté, laquelle témoigne d'un niveau d'existence supérieur, inspiré du plus profond de soi. Une fois ce niveau atteint, l'effort doit porter sur le dépassement de la condition humaine par l'expression de l'élan vital et la conquête de la plus grande liberté possible.

Pour Henri Bergson, quiconque aspire à réaliser de grandes choses doit au préalable parvenir à l'achèvement de soi. Le dynamisme de l'élan vital explique l'émergence d'hommes qui se distinguent pour leur capacité au bien, ces derniers ayant rompu avec tout système pour entrer en contact avec la source de l'émotion. Venue du passé, l'émotion crée un impératif qui s'impose au présent. Si nous sommes tentés de suivre un grand homme de bien, c'est parce que nous sommes éveillés par l'écho que cet homme fait résonner en nous, parce que nous participons à l'expérience d'une émotion qui nous est commune. Aussi l'action de portée universelle passe-t-elle par la sensibilité.

« Le corps agrandi attend un supplément d'âme », écrit le philosophe. Le corps s'est agrandi par le nombre, le volume, l'appétit, les objets ; l'essor économique a permis à chacun de satisfaire tout ce que son corps pouvait attendre, et au-delà. Ce renflement organique se substitue à l'âme et bouscule les équilibres naturels au risque de les anéantir. Le « développement durable » a bien peu de chances de sauver le monde, pas plus que la hausse des taxes et la multiplication des protocoles. Quant aux progrès technologiques, ils ne feront au mieux que repousser les échéances, avec pour effet pervers de donner bonne conscience et de détourner, pour des décennies encore, l'individu de l'effort sur soi. La seule énergie capable de se substituer au gaz, au charbon et au pétrole, qui vont manquer en même temps qu'ils nous étoufferont, réside dans ce « supplément d'âme » dont parle Bergson. Supplément d'âme que nous sommes de plus en plus nombreux, lassés des concerts de bonnes intentions dont rien de probant jamais ne sort, à rechercher. Les difficultés qui nous attendent finiront par nous rendre philosophes, et par nous décider à briser nos constructions pour partir enfin à l'aventure, en quête de la part la plus élevée de nous-mêmes.

L'aventurier – tout du moins celui que je reconnais comme tel – juge le moteur suspect, comme s'il craignait que la vitesse et la puissance artificiellement placées entre ses mains le détournent de lui-même et de son devoir existentiel de cheminer. L'aventurier voyage par plaisir mais pas seulement, il se sent un peu chargé de mission, apostrophé par un devoir dont il cherche inépuisablement le sens. C'est que l'aventurier moderne, bien avant d'être un consommateur, s'interroge sur ce qu'il doit accomplir en ce bas monde.

Il y a des récits d'aventure, des films d'aventure, des festivals de l'aventure. L'aventure est un loisir, une fantaisie individualiste qui saupoudre un peu d'exotisme au nez de qui reste chez lui. Une idée, un sponsor, une assurance rapatriement et c'est parti. Cap sur l'Amérique du Sud, l'Afrique ou l'Asie pour s'exercer à l'incontournable « rencontre de l'autre ». Direction le grand large, les Pôles ou les déserts pour soutenir la nécessaire « rencontre de soi ». Très en vogue pour les couples, le tour du monde à vélo avec un enfant en bas âge.

Hélas, les aventuriers d'aujourd'hui ont bien du mal à comprendre où ils vont, et pourquoi ils vont. Ils se pensent libres alors qu'ils tournent en rond. Les plus médiatiques font fortune sur des exploits publicitaires ; les plus courageux restent inconnus. Les premiers produisent de l'illusion à grande échelle, les seconds projettent leur montage numérique dans les maisons de retraite. Tous commercialisent un résidu de rêve. Ils ne servent d'ailleurs qu'à cela. Le public n'a pas besoin de rêves démesurés, des bribes lui suffisent.

C'est tout. Sachant que l'aventure ne sert plus à rien, ce n'est déjà pas si mal. La relégation de l'aventure au domaine du loisir, comparable à celle de la traction hippomobile à celui des champs de course, aurait pu la faire disparaître complètement. On ne doit sa survivance qu'à une poignée d'idéalistes. Mais qui parmi eux se souvient que la passion qui les taraude, et qu'ils identifient à un goût personnel exempt d'enjeu social, fut l'énergie première de la civilisation ? Qui connaît le rôle fondamental de l'aventure dans le surgissement de l'histoire ? Qui sait dans quelles forces il puise lorsqu'il trace sa route à l'estime ?

L'aventure, comme l'équitation, comme la navigation à voile ou la chasse, fait partie des activités de musée. Pour le plaisir, on conserve des pratiques aujourd'hui obsolètes. On ouvre des clubs. On s'organise en fédérations, parfois en lobbies. Désormais vaine, la chasse a contribué en son temps à l'alimentation humaine ; sans la navigation à voile il n'y aurait eu ni Méditerranée ni Amérique, sans cheval il n'y aurait eu ni villes ni empires ; et sans aventure... L'Europe ne connaîtrait pas Tombouctou, ignorerait ce qu'est une tomate ou un kangourou, ne saurait pas quoi faire d'un sextant ni de la vapeur, aurait privé Jules Verne d'inspiration et, pour tout dire, n'aurait pas décollé de l'âge de pierre.

Il y a encore quelques années, l'aventure avait une fonction. Elle servait l'anthropologie et l'entomologie. Un peu plus tôt, elle fécondait la géographie, la cartographie et toutes les sciences de la Terre ; plus tôt encore, elle décidait des protectorats et des colonies, découvrait des statues aztèques ou des bouddhas birmans, des gisements de nickel ou des bassins houillers. Ainsi, les informations que l'aventurier apportait au monde faisaient-elles de lui le fer de lance de la connaissance, laquelle introduisait des enjeux politiques, élargissait le champ culturel et favorisait l'économie. On peut dire que sans l'aventurier pour défricher l'horizon, les sédentaires n'auraient jamais été sûrs que la Terre est ronde.

L'aventure a perdu sa raison d'être depuis que les Grandes découvertes sont closes. Hors les périodes de conflit qui la font brutalement ressurgir, et le métier de grand reporter qui la maintient en action, elle s'est tristement affaissée ; en témoignent les sociétés de géographie moribondes. Nous ne sommes cependant contemporains que de la seconde phase de la chute. La première phase remonte à plus de huit cents ans, quand la chevalerie se mit à décliner. En ce temps l'aventurier ne contribuait pas à la science, mais à la conscience. Nulle découverte à son actif. Aucun marchand pour se précipiter sur ses trouvailles. Mais l'aventure était la vertu suprême.

Cro-Magnon s'éloignant de sa caverne à la recherche d'un nouveau terrain de chasse, c'était déjà de l'aventure. L'aventure est apparue avec le silex, s'est répandue avec le bronze, a connu son apogée sous l'acier et s'est dissoute dans un circuit imprimé. Or en renonçant à elle, nous perdons le fonds de la nature humaine. L'homme doit exercer ses facultés, il lui faut se mesurer à lui-même et apprendre à dominer ses peurs. Il aime projeter son espoir sur ce qui l'attend de l'autre côté de la colline. Il a besoin de prendre des risques comme il a besoin de sel, comme il a besoin de vent. Ce besoin mit au jour le monde et contribua à son extension, puis à son perfectionnement. Mais dès lors que le monde se satisfit de lui-même, qu'il se lassa de se mesurer au mystère, à la nature ou à Dieu, l'aventure ne fut plus nécessaire, et l'homme qui la portait se replia.

Les anthropologues affirment que l'homme est né par le langage ; la Bible, qui pour une fois s'entend avec la science, préfère le mot « parole ». À quoi donc l'homme a-t-il consacré ses premières paroles ? À raconter ses aventures. Puis, laissant courir son imagination, il s'est inventé des exploits, des légendes, et pour les transporter à travers le temps, il s'est mis à écrire. Les grands textes sont la plupart du temps des récits d'aventures extraordinaires. Ils s'intéressent spécifiquement à la force morale du héros, lequel suscite l'admiration et incarne, pour les membres de la société qui ne participent pas à l'aventure, le modèle d'humanité dont ils doivent s'inspirer.

Et l'on voudrait intégrer l'aventure dans le cocktail des activités de loisirs ? Non… L'aventure a coulé le socle sur lequel la civilisation s'est dressée, elle est l'une des premières composantes de la matière humaine. Nous l'avons oublié. Même les baroudeurs au long cours, que la marginalité maintient dans une scrupuleuse modestie, ne le savent plus. Ils partent chercher ce qu'ils sont mais ne songent pas à ce qu'ils représentent. L'aventurier d'aujourd'hui se pense individualiste mais il ne l'est pas, il se voit tel parce qu'il a perdu son utilité sociale. Le monde moderne l'a abandonné à lui-même et lui, penaud, s'accommode de la fonction négligeable qui lui est concédée parce que la nature le console, parce que les milieux sauvages à même de mettre en valeur ses qualités, milieux qu'il va chercher de plus en plus loin, continuent de l'accueillir et de nourrir ce qu'il attend de sa propre humanité.

Par l'aventure, il ne s'agit pas de rééquilibrer les systèmes pour pallier leurs lacunes, mais de quitter les systèmes pour se détourner de leurs abîmes. Il s'agit, à l'instar des explorateurs d'antan, de défricher de nouvelles terres, d'éclairer de nouveaux espaces habitables. Une vie ne se sauve pas en accumulant des assurances, mais en tenant tête à l'incertitude. Notre civilisation était foncièrement, depuis ses origines, une civilisation du risque ; la gloire allait à ceux qui choisissaient et maîtrisaient le risque. De cet exercice ressortaient des hommes complets, car investis dans les réalités autant sociales que physiques et métaphysiques. La glace cessera de fondre quand nous prendrons des risques pour la défendre, et que cette attitude sera socialement récompensée. Quand l'argent, las de gaver les ego, s'entichera à son tour d'horizons, et s'emploiera à de nobles reconquêtes.

Au fil des siècles, la valeur accordée à l'aventure s'est progressivement altérée. On constate aujourd'hui ce qu'il en reste, quand le risque inhérent au départ est devenu si faible qu'il faut le cultiver artificiellement. L'aventure fait certes encore rêver, autant peut-être que durant ses heures de gloire, mais elle est un rêve qu'on ne réalise que du bout des doigts, avec moult précautions. La récompense à en attendre – exaltation du corps, stimulation de l'esprit, joie intime de renouer avec l'essentiel – n'en sera que plus ténue. L'aventure totale demeure hors de portée, hors même de l'ambition des plus audacieux. Et nul ne verra dans le départ pour l'aventure une condition du salut commun.

Il existe cependant des jeunes gens qui n'ont pas renoncé au grand voyage vers soi. Ils oublient le confort matériel, s'échappent et prennent la route. Ils marchent, pédalent, chevauchent ou naviguent. Ils connaissent le nom de leur destination mais ignorent ce qu'ils rencontreront en chemin. Ils n'emportent avec eux que le strict nécessaire afin de glaner le plus d'émotions possible, mais avant tout ils se veulent libres, sans choses, sans murs, sans règles sinon celles que leur impose leur conscience. Ils ne regrettent rien, même quand les journées sont rudes. Ils se sentent exister. Au contact de la nature, ils acquièrent une conscience plus dynamique, et comptent bien, au fil de leurs rencontres, donner une image positive d'eux-mêmes, contribution notoire à la pacification du monde. C'est qu'un chemin ouvert appelle d'autres pas pour l'entretenir, d'autres pas pour relayer le tissage patient des liens.

Pour aider à traverser les épreuves de l'existence, il y avait l'art, le voyage, la création. Aujourd'hui qu'au moindre malaise l'individu est poussé à gratter son ego, on oublie que les crises à surmonter ne sont pas des maladies ou des handicaps, mais des appels à se dépasser, à se projeter vers l'extérieur et à servir le monde. Toute blessure, toute solitude peut trouver apaisement dans la beauté. Être aventurier c'est user de ses souffrances pour partir à la conquête de plus grand que soi, c'est explorer. Ex-plorer : aller hors de soi. À l'opposé de la tendance contemporaine qui irait à retourner sans cesse sur soi, pour im-plorer.

Quand rien n'est aussi commun que de brûler du pétrole, il suffit, pour prendre ses distances, de marcher. L'ouvrier n'a plus les moyens de se déplacer à pied parce qu'il n'en a plus le temps, et il ne lui en viendrait souvent pas l'idée. Le marcheur, c'est désormais le jeune adulte issu d'un milieu socioculturel favorisé et dont le comportement ne peut en aucun cas être justifié par une nécessité matérielle. Son plus précieux besoin consiste à partir, car il a hâte de retrouver la nature et de vivre vraiment.

Notre temps connaît des déséquilibres et des tensions qui entretiennent la rupture de l'harmonie. Pour la jeunesse en quête d'âme, la conséquence de cette rupture est la recherche d'un rassemblement de soi dans la solitude du voyage. On retrouve ici la manifestation de l'insécurité intérieure qui s'empare de certaines couches de population aux époques de bouleversements sociologiques et spirituels. Cette insécurité est un moteur du mouvement de l'histoire. L'aventurier moderne ne part pas pour répondre à une requête sociale, mais pour pallier l'absence de requête à la hauteur de ses attentes et de ses capacités. Peu à son aise en société, il se révèle d'une grande habileté en dehors : c'est là, en dehors des constructions dominantes qu'il prépare la prochaine étape de l'histoire.

Les aventures que l'on entreprend de nos jours sont mesurées, parcellaires, et s'inscrivent dans un cadre balisé. Des aventures modérées, en somme, à l'image de la récompense à en attendre. Impatients de nous construire, mais sachant les matériaux rares, nous collectons ici et là ce qui peut nous être utile, le long de cette itinérance plus ou moins fortuite que l'on appelle un parcours. Rien n'est plus établi d'avance. À chacun d'inventer son propre parcours, de multiplier les expériences, à condition toutefois qu'elles ne fassent pas prendre trop de risques. Dans une société qui nous a enveloppés de ses assurances et de ses précautions, nous préférons l'aventure prudente.

Parfois, quelqu'un sort du lot. Il désire ces récompenses majeures qui jadis motivaient les grandes actions. Mais la société, sécurisée et préoccupée par ses retraites, ne stimule pas plus les vastes entreprises qu'elle ne promet de bonheurs ardents. Le danger, si commun jadis quand il suffisait de prendre la mer pour ne plus être sûr de revoir jamais un rivage, est devenu rare. Aussi, pour en retrouver les saveurs, faut-il délibérément le rechercher. Alpinisme, vol libre, apnée, sports dangereux... Des frissons sans cause mais qui aident à se sentir exister. Celui qui veut exister mieux ou davantage devra aller plus loin, se confronter plus longuement à lui-même, par le biais d'épreuves remplies, s'il les domine, d'émotions fortes. Ne trouvant pas en sa propre époque de voie d'accès à cet étage supérieur de l'émotion, il se tournera vers le passé, et voudra faire comme faisaient les anciens. Aborder l'horizon à mains nues. Solliciter son corps un peu gourd, ses intuitions mal entretenues.

Plus le voyage suscitera l'admiration en confirmant le caractère unique de son protagoniste, plus grande sera la satisfaction. Plus l'on touchera au nouveau, à l'inconnu ou à l'inédit, plus l'être s'accomplira, mieux il accouchera de lui-même. Alors on cherche l'acte de bravoure. On envie, forcément, l'explorateur d'antan qui pouvait se livrer à sa passion sans se torturer pour la justifier : le vaste monde l'attendait. Aujourd'hui, le monde est demeuré vaste, mais il n'attend plus personne. Les premiers venus, les premiers servis ; ne reste à présent qu'une table de banquet pillée par des aïeux tellement pressés de circonscrire le globe qu'ils n'ont laissé à leurs descendants que des reliefs. Les terres à découvrir n'étant pas renouvelables, il n'est de pire ennemi de l'exploration que l'explorateur lui-même.

Celui qui convoite la récompense promise par l'aventure doit choisir avec soin le terrain où il se mettra en scène. Il se sentira d'autant plus unique qu'il sera seul, et d'autant mieux valorisé qu'il sera le premier. C'est la ruée sur les « premières ». Première traversée de l'Atlantique à la pagaie, en planche à voile, en canot de sauvetage. Première ascension de l'Everest sans oxygène, première descente du Nil depuis sa source, première traversée intégrale des Andes chiliennes. Premier tour du monde en ULM, à monocycle, à dos de chameau. Le pôle Sud pour la première fois atteint en autonomie totale, en solitaire, par une femme, par un unijambiste. Rien n'étonne plus, et c'est là le malheur de ces jeunes hommes et femmes qui, pour exister, ont besoin d'étonner. Ils ne demanderaient pas mieux que d'avoir de véritables motifs de réaliser un exploit, mais le monde est avare. Le monde aime le scoop, l'anecdote, la brève qui tient sur trois lignes. Pas de quoi alimenter une raison de vivre. Et la démarche, sans enjeu, devient sans issue : c'est la surenchère des records et des premières.

Quiconque vise une « première » s'appuie sur une logique dépassée. Beaucoup parmi les aventuriers qui ne disposent pas de l'originalité d'un âge extravagant ou d'un handicap physique pour attirer l'attention des journalistes – être une femme ne suffit plus – ont baissé les bras et se sont rabattus sur un boulot alimentaire. Pourtant, c'est aujourd'hui que nous aurions le plus besoin d'eux. Non pour les voir arriver les premiers quelque part, mais pour qu'ils prennent la défense de ce qu'ils aiment. Quand la nature était large et menaçante, il y avait du mérite à lui résister. Maintenant que l'homme a pris le dessus sur elle, et l'a gravement détériorée, il lui reste à relever l'incomparable défi de réparer ses dégâts.

En matière de sauvetage de ce que les activités humaines vouent à la disparition, les héros sont encore rares. Pourtant, l'aventure promet des émotions fortes, et le risque est majeur : ce que nous ne sauverons pas sera perdu à jamais. Nous changeons d'ère. Le temps de l'exploration est terminé, il aura duré cinq siècles. Vient celui de la préservation. Comme au début de toute ère nouvelle, le héros est particulièrement vaillant. Il crée des réserves, introduit des quotas, informe le public, soigne l'oiseau, se heurte aux méchants. Parfois, le monde entier semble s'opposer à lui. Il persiste. Son but n'est pas la connaissance de la vie, mais sa reconnaissance. Il se bat autant pour suspendre les prédations qui affligent la nature que pour sauver le cœur humain.

Celui qui s'engage concrètement pour la protection d'une richesse naturelle suit les grands axes de l'engagement personnel dont est tributaire notre avenir : le lien à la nature et à l'autre, le sens du sacré, l'acceptation du risque. Prendre fait et cause pour la nature, c'est d'abord, selon le schéma bergsonien, rompre avec les systèmes, passer du clos à l'ouvert, et s'aventurer dans un espace intuitif où la quête de la plus grande liberté possible, et donc de la plus grande humanité, prend tout son sens. Le héros de la nature est le « grand homme de bien » nécessaire au rééquilibrage du monde, à la revitalisation de la terre et de l'esprit. Par l'expérience vécue, par la clarté de la voie qu'il a choisie, il cloue le bec aux économistes, sociologues et autres théoriciens : il se tient, en tant qu'homme, là où l'homme doit se tenir.

Gagnera-t-il ? Rien n'est moins sûr. Trop d'énergies qui pourraient lui venir en aide se perdent dans des exploits futiles et des ambitions narcissiques. Et l'immense majorité du public qui accueille avec sympathie son action ne comprend pas que pour assurer son succès il doit la rallier.

Le XXIe siècle se désintéresse des « premières » et il a raison : elles ne sont plus de son temps. Son temps, puisque nous continuons de vivre pour si peu, c'est-à-dire pour nous-mêmes, devient progressivement celui des « dernières ». Les « dernières » sauront-elles raviver les passions ? Dernière plongée dans le lac Tchad avant qu'il ne soit à sec. Dernière observation de l'orang-outang en liberté. Dernière cordée sur les glaces du Kilimandjaro. Ultime enregistrement du locuteur d'une langue qui avec lui s'éteint. Ultimes images d'une vallée avant son engloutissement. Ultime observation d'un insecte découvert le jour même.

Le progrès nous a fait multiplier les premières jusqu'à l'absurde. Il nous gavera de dernières jusqu'à la nausée.

Quatrième partie

LA DÉRIVE

Il existe encore une mer pratiquement inconnue. Sa principale caractéristique a de quoi dissuader d'aller la visiter : la mer de Lincoln est la plus froide de l'hémisphère nord. Constamment couverte de glaces flottantes, elle délimite l'embouchure par laquelle l'océan Glacial Arctique vide ses eaux le long de la Terre d'Ellesmere tout d'abord, puis de la Terre de Baffin, puis du Labrador, de Terre-Neuve et du nord des États-Unis. Ce sont donc les eaux de la mer de Lincoln qui, en s'engouffrant dans le chenal de Kennedy qui sépare le Canada du Groenland, vont refroidir New-York, quatre mille kilomètres au sud. Seuls une quinzaine de militaires canadiens se maintiennent en vie dans ce secteur infiniment reculé. Ni route, ni port, ni piste d'atterrissage. C'est par là que débouche le Petermann, glacier flottant le plus septentrional du monde, devenu célèbre depuis qu'il se disloque en icebergs grands comme une capitale. J'ai tenté de m'y rendre il y a une dizaine d'années, à l'issue d'une expédition en kayak de cinquante jours. Peine perdue. Nous ne faisions pas le poids.

Ce que nous vîmes, mon compagnon d'aventure et moi, rappelle les décors des gravures du XIXe siècle. Malgré mon expérience des glaces, je n'avais jamais rien rencontré de tel : d'énormes champs de banquise rejetés par le crâne du monde, un paysage temporaire construit par l'accumulation de plusieurs années de précipitations, renforcé de hummocks jaillis des heurts entre les plaques puis ressaisis par le gel. Il arrive que, dans les récits anciens, l'on décrive des plaques de cette nature dressant des murs infranchissables sur des dizaines de kilomètres. Des remparts de glace qui interdirent des siècles durant toute navigation dans ces parages.

Au cours des années 1870, deux expéditions s'aventurèrent dans ce secteur pour la première fois ; elles furent conduites par l'Américain Hall puis par l'Anglais Nares. La première connut plusieurs drames avant qu'une partie de l'équipage ne se retrouve isolée sur une plaque de banquise flottante. Pendant plus de six mois, les naufragés dérivèrent en direction du sud sur leur île gelée, blottis les uns contre les autres, pêchant quand ils le pouvaient. Il ne restait de leur éphémère radeau presque rien quand, au large du Labrador, un bateau les repéra et les sauva *in extremis*. La seconde expédition, celle de Nares, porta un coup sévère à la théorie d'un océan polaire libre de glaces et navigable. Des marins s'étaient éreintés à tirer de lourdes barques sur une banquise tourmentée… Plus ils progressaient vers le nord, plus ils pensaient avoir de chances de rencontrer des brèches où mettre leurs embarcations à l'eau. Mais la glace de mer était toujours plus épaisse.

L'expédition Greely, à laquelle participait l'explorateur français Octave Pavy, fut la troisième à s'aventurer sous de telles latitudes, et la première à réussir une incursion au-dessus du 83e parallèle. Les explorateurs étaient encore à 700 kilomètres de distance de l'axe de rotation du globe terrestre, mais on pouvait dès lors affirmer que la théorie de la mer libre du Pôle, très en vogue dans les années 1860 et pour laquelle opte Jules Verne dans *Voyages et aventures du capitaine Hatteras*, n'était qu'une chimère et qu'il n'y avait bel et bien que de la banquise. La mer libre du Pôle… Cette mer s'écartant devant le hardi navigateur qui le premier traverserait la barrière des glaces et, alors, cinglerait sans peine jusqu'à l'ultime degré de la planète !

Naviguer sur l'océan Glacial Arctique ne relèvera

bientôt plus du fantasme. Le capitaine Hatteras aura gain de cause. Inutile, pour faire fondre l'obstacle, de reprendre la méthode proposée par le même Jules Verne dans *Sans dessus dessous*. Il s'agissait là, au moyen d'un coup de canon géant creusé dans le mont Kilimandjaro, de redresser l'axe de rotation de la Terre pour le placer perpendiculairement au plan de l'écliptique, rien de moins ! Une fois le cycle des saisons ainsi supprimé, le pôle Nord se réchaufferait, et y accéder en navire à vapeur ne poserait pas plus de difficultés que d'en exploiter les colossales réserves de charbon. Jules Verne n'imaginait pas que la fusion de la glace polaire que tentaient de provoquer ses savants fous se réaliserait un jour, non pas à la suite du choc en retour d'un grand coup de canon, mais sous l'effet insidieux de nos milliards de cheminées, de climatiseurs et de pots d'échappement.

Le froid que connaissait encore la seconde moitié du XIXe siècle permettait à la banquise polaire d'atteindre communément une quinzaine de mètres d'épaisseur. À présent, cette même banquise est trois à cinq fois moins épaisse et se disloque en mer de Baffin. Des naufragés à qui il arriverait aujourd'hui une aventure comparable à celle des marins de l'expédition de Hall, emportés par le glaçon sur lequel ils avaient échoué, périraient vite noyés.

Avec la disparition annoncée des grandes glaces de mer, je comprenais que la planète perdait son climatiseur et que, dès lors, plus rien ne pourrait freiner la radicalisation des climats. Au-delà, je voyais dans ce constat l'annonce de la mort de l'un des milieux naturels les plus fascinants qui soient. Un milieu si peu connu, si difficile à imaginer, que seules les rares personnes qui l'ont abordé peuvent entrevoir de quoi il s'agit réellement. Et voilà que des scientifiques, qui pour la plupart n'ont vu la banquise souveraine qu'à travers l'œil des satellites, déclarent sa fin imminente !

La banquise pérenne qui coiffe l'océan Arctique s'épaissit hiver après hiver. Avec des hivers devenus trop doux, des étés trop longs, elle tend à être remplacée par une banquise annuelle ordinaire qui ne dépasse pas un mètre d'épaisseur et disparaît au plus tard début juillet. Plus aucun danger, alors, pour les *Polaris,* les *Alert* et autres *Erebus,* navires des expéditions légendaires. Il est prévu d'ouvrir une route commerciale passant par le pôle Nord et *via* laquelle pétroliers et porte-conteneurs relieront la Sibérie au Canada. Quant au passage du Nord-Ouest, au-dessus du continent américain, et au passage du Nord-Est, qui enjambe l'Eurasie, passages légendaires tant que la glace les rendait infranchissables, ils viennent tout deux de rendre l'âme et des navires marchands ont commencé à les emprunter.

Victoire pour l'homme qui, à polluer joyeusement l'atmosphère, a fini par vaincre ces formidables banquises que même les plus puissants brise-glaces ne parvenaient pas à repousser. Victoire, une fois encore, de la technologie sur la nature, de la sécurité sur le danger, du rationnel sur le mystère. Victoire ! D'aucuns présagent que l'océan Glacial Arctique sera entièrement navigable dès l'été 2025. Avec la fin des glaces pluriannuelles disparaîtra le dernier espace naturel sur lequel l'homme ne pouvait laisser de trace. Et l'un des grands écosystèmes qui gouvernent l'équilibre thermique de la Terre.

J'ai connu ces banquises seigneuriales, ces îles blanches et paisibles. J'ai frémi devant ces forces majestueuses, ces forces océanes, étaux polaires qui si longtemps défendirent le toit du monde de toute empreinte et de toute souillure. Je m'ébahissais de leur masse, gravissais leurs renflements, remplissais ma gourde à leurs bassins. J'ignorais, nous étions alors en 1999, être l'un des tout derniers à les fouler. Je ne voulais surtout pas le reconnaître. Je me croyais original en niant l'évidence, solidaire d'un milieu naturel qui se devait d'être immuable car je tirais de lui mes visions et projets. Il faut du temps avant d'accepter l'idée que ce sur quoi s'appuie notre vie, une demeure, un métier, un pays, peut disparaître. Les constats scientifiques m'y ont poussé, de même que les nombreux signes observés sur le terrain.

D'abord, j'ai songé à ne plus jamais me rendre dans l'Arctique. Ainsi je gardais intacte son image, m'épargnant la triste scène de son étiolement, de ses paysages moins glacés, moins forts. Je craignais particulièrement de retourner au Spitzberg. Quand j'ai connu cet archipel sublime au cours des années 1990, je le trouvais déjà bien affaibli. D'une année sur l'autre je voyais les glaciers qui reculaient pour mettre à jour de nouvelles îles, inconnues des cartes, sans nom, des îles noires et morainiques, à l'odeur de vase froide. Le mur du glacier, une fois retiré, découvre un sol composé d'une boue inerte, sale de sa minéralité. Quand la glace n'est plus là, c'est le néant inorganique qui ressort et heurte les yeux. Il faudra des décennies avant que la vie fasse mine de s'installer, sous forme d'algues ou de mousses. Alors l'îlot caillouteux sera un tout petit peu moins lugubre et potentiellement réceptif au baptême.

Voilà ce que j'ai retenu du recul glaciaire au Spitzberg, lors d'étés qui commençaient à attirer des bouffées de chaleurs inédites – jusqu'à 14°C – mais qui ne représentaient qu'un avant-goût de ce que l'on relève aujourd'hui. J'aimais quand le glacier m'impressionnait et semblait tout dominer, décidait de mon sort, se déchirait et craquait, défiait les oiseaux marins attirés par la chute tonnante d'un pan de falaise qui levait les copépodes des fonds argileux ! J'aimais quand il fallait porter combinaison, gants, bottes et cagoule comme une armure, symbole du noble combat que devient la vie quand rien n'est préparé à son attention, miroir d'une personnalité que je m'inventais au fil des navigations côtières, à contre-courant. J'aimais cela car je voyais l'amour dans ces lieux. La glace pour déambuler, le soleil pour dorer, la plage pour accueillir, et l'air... L'air si frais, si transparent, si bon ! Tout cela s'harmonisait et ressemblait, oui, à de l'amour.

J'ai compris ce sentiment là-bas, en ces saisons lointaines où j'assistais à la naissance du monde, et où j'avais foi en l'éternité. Car cette sombre affaire de réchauffement climatique, ce n'est pas une histoire de CO2 et d'effet de serre comme on l'entend dire, mais une histoire d'éternité. D'amour et d'éternité.

Je laissai donc le sanctuaire du Spitzberg à mon souvenir, et me tournai vers le Groenland. Non pour y trouver plus de glaces, l'inlandsis se chargeant d'y pourvoir, mais pour livrer bataille. Car l'éternité passée, il ne me restait plus que l'affrontement.

Si la guerre ne me parût pas perdue d'avance, c'est que je ne réfléchissais pas de façon rationnelle et m'abstenais de me projeter dans l'avenir : il fallait agir, vite. Au milieu des années 2000, chacun semblait conscient, et le tocsin sonné par les glaciologues, les personnalités charismatiques et relayé par les médias, fleurait bon la mobilisation générale. On y croyait comme on croit à chaque départ, comme on se laisse gentiment prendre par l'idée qu'il est possible de tout changer. Quelque chose de réellement neuf semblait émerger de cette convergence de regards vers les Pôles. Cette guerre n'était pas seulement la mienne, elle était partagée, ou du moins soutenue, comme on soutient des soldats envoyés sur un front lointain. Dans ces conditions, reconnaître les faits ne me désolait pas, puisqu'ils n'étaient pas irréversibles et que la glace pouvait revenir : le public qui avait parfaitement compris l'enjeu ne resterait pas les bras ballants !

Ce qui était beau, c'est que les gens s'étaient mis à regarder autre chose. Ils avaient été attirés par un événement qui échappait à leur vie personnelle, qui dépassait même le groupe, et ranimait le souci de l'immuable, du Tout, de Dieu. Avec l'alerte climatique, ils avaient trouvé de quoi sortir d'eux-mêmes. Et parce que présenté dans son universalité il correspondait enfin à l'attente collective, le discours écologique captivait l'attention.

Mon rôle dans cette aventure devint de manière assez spontanée celui d'une sentinelle des glaces. Veiller ou éveiller non pas par le biais de recherches méthodiques pour la science, mais par la mise en avant de la notion de risque, de découverte, d'épreuve et de rêve, et de quête de soi. Il s'agissait de compléter les arguments théoriques par un discours qui ressortit à l'expérience et surtout, aux émotions. Toucher le cœur en mettant en scène et en images l'étrangeté de l'élément, sa proximité avec l'infini. Pour y parvenir, j'allais organiser des expéditions sur le principe des dérives imaginées par Jules Verne ou vécues jadis par une poignée d'équipages. Même en admettant que le sort des banquises polaires était scellé, il me semblait que nous disposions d'une certaine marge de manœuvre, et qu'une opération de la nature de celle que j'entrevoyais pouvait encourager la collectivité à se mettre à l'ouvrage. L'heure étant aux grands appels, l'initiative venait à point.

Les Inuit comme les aventuriers choisissent pour voyager la saison du printemps, quand la banquise annuelle, franche et plane, permet un déplacement rapide. Ils profitent aussi de l'été, une fois la débâcle terminée, pour mettre leurs embarcations à l'eau. Mais en saison intermédiaire, tant qu'on ne sait laquelle de la glace ou de l'eau l'emporte, chacun reste à terre. Les banquises pluriannuelles se forment beaucoup plus au nord, sous des latitudes où personne ne vit. L'homme ne peut les observer qu'à l'occasion de leur dérive, quand les courants les arrachent à leur océan natal et les entraînent vers le sud, où elles envahissent et obstruent baies et fjords. L'hiver, les crêtes de compression élèvent des barrières parfois infranchissables aux traîneaux ; l'été, ces banquises invincibles laissent entrevoir un passage pendant une heure mais le recouvrent l'heure d'après, emprisonnant l'embarcation qui s'y serait risquée et la libérant plus tard, ou jamais.

L'ours aime sauter d'un morceau de banquise à l'autre, mais quand la glace vient à manquer, il se met à l'eau et poursuit à la nage jusqu'au prochain groupe d'îles flottantes. Au moyen d'un kayak qui tantôt naviguerait comme toute embarcation de sa catégorie, tantôt serait tracté sur la glace à la façon d'une pulka, il serait possible d'évoluer sur ce milieu réputé impraticable. Être à l'aise sur l'eau autant que sur la glace, voilà l'idéal que j'entrevoyais pour un petit groupe d'aventuriers qui aurait déjoué la fatalité. Comme le seigneur ours, être souple, habile, rapide, étanche… En plus de lui, s'équiper d'une tente dont les sardines seraient remplacées par des broches à glace, et voyager à quatre afin d'exécuter des tours de garde. Veiller la nuit aux mouvements du pack, évidemment, et prévenir la visite des maraudeurs aux yeux d'ébène.

Jamais, il me semble, on n'envisagea de déambuler de son plein gré sur une mer carapaçonnée par le gel. L'aventure serait belle, mais en même temps qu'elle serait pour la première fois tentée, elle connaîtrait sa dernière édition. L'équipée de la dernière fois. Quatre compères armés d'une pagaie et d'un piolet se hasardant sur ce qu'après eux nul être humain, quelle que soit sa fortune, ne pourra plus jamais ni voir, ni toucher, ni même imaginer. Il y avait bien là, pensais-je, matière à créer une association, support à un positionnement moral et à une organisation technique.

Au départ de Tasiilaq, sur la côte orientale du Groenland, « Les Robinsons des glaces » entendaient montrer que sans moteur et sans confort aucun, il est possible de supporter les conditions parmi les plus précaires et les plus aléatoires qui soient au monde, et de garder le sourire. Nous prônions par les faits la tempérance et la sobriété heureuse. Un exemple parmi d'autres pour régler nos horloges à l'heure des réalités physiques, et en tirer quelques conclusions. Le froid ? Ce n'est pas grave. On s'en protège, on s'active et on pense vite à autre chose. Accepter la glace en plein été relevait pour moi d'une forme d'élégance, de savoir-vivre. Savoir vivre avec la nature sans la méjuger, s'adapter à elle, patienter. Les courants ne nous ont pas conduits où nous l'espérions mais peu importe, nous avons déambulé à leur rythme. Et c'était cela le plus difficile, bien plus que le froid et l'inconfort : accepter de ne plus être maître de sa route.

Au campement, sur notre radeau de glace, j'ai constaté l'infinie fragilité de la vie, la placidité du temps. Les banquises dérivantes figurent une mécanique cosmique composée de rouages de forme et de taille diverses se déplaçant les uns avec les autres, mais chacun avec sa dynamique propre. Je n'ai pas senti l'émerveillement des grandes découvertes, j'étais inquiet, souriant au désagrément baroque d'un été passé à même la glace, mais me questionnant sur le sens de cette entreprise que je voulais représentative d'un visage et d'une beauté du monde trop ignorés. Prenions-nous des risques ? Il m'arrivait de songer à ce qui se passerait si la rupture brutale de notre plaque d'accueil devait nous séparer. Si, tout d'un coup, nous devions nous retrouver seuls dans cette dérive, sans vivres, sans tente, sans bateau, au milieu de l'océan à attendre que le plancher d'eau retourne à l'état liquide... Quelle mort étrange ! Nous nous étions organisés pour l'éviter et étions prêts à faire face, mais tous les jours j'y pensais ; la nuit, surtout, quand je prenais mon tour de garde, que la température chutait et qu'il n'y avait plus un bruit.

Ce soir transparent où je décidai d'évacuer notre dernière plaque résidentielle, au vu de sa désagrégation prononcée et du risque de se retrouver poussés dans une zone d'icebergs singulièrement dangereux, j'ai recouvré la paix. Une fois dans le kayak, échappant enfin au lent et mol arbitraire des courants, je me sentais libre. Luxe ineffable, j'allais dormir sur un sol blindé de cailloux mais ferme, celui que j'aurais choisi. Je me dirigeais de nouveau là où le palonnier s'incline, vers la côte ciblée par mes yeux. Je redevenais propriétaire de mon destin et quoi qu'il put arriver, je pouvais réagir. C'était cela le plus pénible : la pesanteur du temps. La danse au ralenti des icebergs, celui qu'on aperçoit à trois kilomètres et qu'on rejoint huit heures plus tard, ou celui que le brouillard a dissimulé et qui se dresse brutalement devant notre barge de mille tonnes impossible à manœuvrer ; le plus difficile, c'est l'attente du choc, les minutes longues, les heures, les jours à ne pas savoir ce qu'il va se passer, et s'il va vraiment se passer quelque chose. C'est l'incertitude qui est douloureuse à vivre, et surtout pas le froid ni le manque de confort. Nos ancêtres qui dissertaient sur la liberté le savaient bien ; ils érigeaient des cités et traçaient leur route sans s'inquiéter du temps qu'il fait dehors. Le véritable danger, l'épreuve atroce, c'est l'inconfort moral, c'est le froid psychique. Nos spécialités modernes.

« La Grande Dérive », comme nous l'avions baptisée, devait initialement nous embarquer sur huit cents kilomètres le long des côtes déchiquetées et farouches du Groenland oriental. Pour ce faire, nous aurions dû nous y prendre autrement, manifester plus d'audace, trouver de meilleurs soutiens financiers, et accepter de partir dès le mois de février, en plein hiver. Une épreuve terrifiante nous aurait attendus. L'expédition allemande de la *Hansa* a connu pareille ordalie, alors qu'il était question de contourner le Groenland par le nord pour s'assurer qu'il s'agissait bien d'une île. Une fois le bateau broyé, l'équipage a supporté les hasards affreux de la dérive glaciaire pendant neuf mois, dont quatre dans la nuit permanente, par – 25°C en moyenne. Tous s'en sont sortis en atteignant au mois de juin le premier point habité du sud du Groenland, à plus de deux mille kilomètres du lieu de leur naufrage. Une épreuve inhumaine, ou surhumaine, et que personne n'ose seulement concevoir. Aucun aventurier contemporain ne serait à la hauteur d'un tel sacrifice. Et moi moins encore, même s'il m'arrive de le fantasmer car ce serait une expédition de rêve, une expédition d'absolu. Et puis, il est irrémédiablement dommage que l'humanité passe à côté d'une aventure qu'il ne lui reste plus que quelques années pour entreprendre, et qui serait la plus grande aventure de son temps : renoncer à toute idée personnelle et se laisser dériver. Accompagner le lent chemin des glaces vers la fonte avec seulement une barque, une tente et des vivres. L'enfer présenté en spectacle à des vivants, cet enfer que nous devrons nous décider à traverser si nous voulons continuer à vivre.

J'ai trouvé cependant ce que j'étais venu chercher. Je sais désormais indiquer sur une carte l'endroit où l'histoire s'arrête. La vaste baie de Sermilik, où les courants tournoient plusieurs jours avant de reprendre leur route, est le cimetière définitif des glaces. Nous étions un quatorze juillet quand tout s'est disloqué, que plus une plaque de banquise ne pouvait nous accueillir, et que la mer libre s'est mise à dérouler son tapis bleu et ondulé jusqu'à l'horizon. C'est ici, à hauteur du cercle polaire, que tout finit.

L'expédition de la *Hansa*, en 1870, avait rencontré des glaces habitables jusqu'à mille kilomètres plus au sud, et n'a par ailleurs jamais réussi à rejoindre la côte, ni à pied ni avec la chaloupe. En 1935, le commandant Charcot, à bord du *Pourquoi pas ?*, luttera une semaine avant d'atteindre le port de Tasiilaq, et la glace était si puissante qu'elle lui a fait craindre un hivernage dans les parages ; nous étions alors fin août, à une saison où les banquises sont en théorie les moins compactes. Ce n'est pas non plus un hasard si les habitants de la région sont parmi les derniers peuples de la planète à avoir été découverts, bien après les tribus les plus reculées d'Asie australe ou de Patagonie, alors que l'est du Groenland n'est qu'à cinq cents kilomètres de l'Islande : aucun navigateur ne parvenait à franchir la barrière du pack glacial, même en plein été. Aujourd'hui, une fois sur deux, le même pack a complètement disparu dès la mi-juillet, et le port de Tasiilaq est accessible à tout bateau trois mois dans l'année.

Cette fonte précoce est moins due à l'augmentation de la température de l'air qu'à celle de l'eau. Ce qui a changé, c'est que les océans se sont réchauffés de plus d'un degré et que le Gulf Stream étend ses bras encore plus au nord, dont l'un n'hésite plus à lécher la façade orientale du Groenland. Les eaux septentrionales du Gulf Stream sont à une température de 5°C. Les eaux qui charrient les banquises depuis le Pôle affichent -1°C. Nous étions sans le savoir dans la zone de rencontre de ces deux courants, lesquels, parce qu'ils n'ont pas la même densité, ne se mêlent pas mais se superposent. Lorsque nous sommes passés de l'un à l'autre, nous ne nous sommes aperçus de rien. Le jour où nous avons choisi notre plaque, ses bords étaient francs et tombaient en à-pic sur 8 à 9 mètres de profondeur. Et puis, un matin, tout a basculé. Les bords se voyaient rongés, creusés, anéantis par le flux, et les parcelles suspendues en surface s'effondraient une à une. L'eau s'infiltrait par des failles insidieuses qui devenaient en moins de deux heures une ouverture béante d'où jaillissait le ressac. Cette nuit-là, dans la baie de Sermilik, le courant glacial avait plongé, abandonnant ses enfants de glace blanche aux flots voraces de l'Atlantique nord, et nous condamnant à clore définitivement notre voyage.

Ces périples n'ont pas été renouvelés. Oh, pas parce qu'ils ne sont déjà plus possibles ! Même avec une banquise relativement mince et de très mauvaise qualité, il en resterait assez pour mener une opération, de mars à juin par exemple. Ce qui fait défaut, c'est la volonté de le faire, et la volonté ne vient pas si elle n'est pas précédée par le sens. Et quel sens donner à une opération qui n'a bel et bien servi à rien ?

Nul n'a changé quoi que ce soit à sa manière d'envisager les choses depuis notre expédition, pas même ses protagonistes. D'ailleurs, quel était l'objectif ? Montrer ? Convaincre ? Alors qui a vu, et qu'en a-t-il retenu ? Et avons-nous bien le temps de verser dans l'édification des masses alors que non seulement les dés sont lancés, mais ils n'étaient absolument pas entre nos mains ? Cette initiative était naïve, et de surcroît prétentieuse. J'ai mis un terme au programme des Robinsons des glaces pour cela, parce que je ne veux plus entendre parler de pédagogie, d'éducation ou de sensibilisation, des mots cabas, des mots vains. Ces mots ont pourtant mobilisé l'énergie et les rêves de ceux qui nous ont soutenus, des humbles, des innocents ; les autres n'ont pas bronché. La société moderne n'a qu'un produit et ce produit est l'économie, le reste n'est pas pris au sérieux. Le reste c'est le décor, le divertissement, tout ce qui peut aider à oublier que notre vie est une soumission à un système, et que nous n'y pouvons rien changer. Seuls ceux qui n'ont pas le pouvoir goûteront à se sentir utiles et puissants par procuration ; nous avons incarné une certaine forme d'utilité, de puissance, mais ne bénéficions pas pour autant du pouvoir.

En créant l'association « Les Robinsons des glaces », je ne comptais pas seulement attirer l'attention sur la banquise polaire, je voulais introduire une réflexion sur notre rapport au froid. Une action bien concrète pouvait en découler : l'enjeu était de tolérer chez soi et sur son lieu de travail une température de 19°C en hiver, et de régler les thermostats en conséquence. L'effort à consentir, qui n'avait rien d'extravagant, permettait en outre de s'accorder avec la réglementation. Or se fixer des limites est à l'antithèse du sens que la modernité donne au mot « progrès ». Le progrès, ici, n'a pas d'autre objet que de nous distancier toujours davantage de la nature. Refouler le froid, réduire les distances, battre des records de vitesse, défier les lois de la physique au bénéfice de la performance, ne pas vieillir, disposer à domicile de toutes les musiques et toutes les denrées du monde, voilà le progrès ! Se jouer toujours davantage des limites que la nature impose, jusqu'à les oublier totalement, oublier que nous faisons partie de la Terre pour nous retrouver sur les médias sociaux, nulle part et partout à la fois, en ce territoire virtuel extensible à l'infini et insensible à nos outrages… Alors comment imaginer que la simple notion d'écologie puisse être entendue, sachant qu'elle entre en contradiction fondamentale avec ce que nous attendons tous du progrès ? La nature, nous ne l'aimons pas. Voilà ce que je devais en conclure au retour d'expédition, alors que je pensais dénoncer nos gaspillages énergétiques en matière de chauffage et de climatisation, et les records de consommation d'électricité chaque année battus. L'illusion du progrès et de la croissance nous est vitale, sans cette illusion notre système ne pourrait fonctionner, et nous ne voulons surtout pas que cela arrive. Nous nous accrochons à des mécanismes collectifs avec tous les signes d'altération irréversibles de nos facultés mentales, définition de la démence.

Alors, que sommes-nous prêts à faire pour la nature ? Pas grand-chose, vraiment pas grand-chose, pour ne pas dire rien du tout. Les motifs de gaspillage, d'abus, les échecs, sont partout. Nous n'allons décidément pas vers une société durable, ni même raisonnée. Nous consommons à n'en plus pouvoir, brûlons, polluons sans relâche. La « prise de conscience » dont on parlait il y a quelques années et dont dépendait notre salut a bien eu lieu, et nous persévérons comme si de rien n'était, profitant de telle ou telle annonce politicienne pour nous dédouaner. Personne ne veut voir. Alors ne regardons pas. J'abandonne la cause de l'application de la loi réglementaire des 19°C pour le chauffage et des 26°C pour la climatisation – infractions passibles d'une amende de cinquième catégorie, *dixit* le Code de la construction et de l'habitation – comme j'abandonne le projet des Robinsons des glaces. L'intérêt et la sympathie que ces deux aspects ont suscités ne suffisent pas. Une idée, ça ne nourrit pas, et celui qui la porte finit par s'user, car il est seul, même s'il a la loi de son côté, seul là où l'on ne peut avancer que nombreux.

Se laisser dériver sur une plaque de banquise polaire est une expérience que l'on peut considérer comme « extrême », et si j'ai consenti à cette forme d'extrémisme infligé à soi-même, c'est parce que j'espérais en dégager quelque chose d'important. La poésie des glaces déambulantes n'a pas été sans frapper les artistes – des artistes qui ne comprenaient pas forcément bien ce à quoi ils s'exposaient en acceptant de nous suivre –, en particulier le chorégraphe Daniel

Larrieu. Je constate que son installation *Ice Dream* continue de tourner en France, et qu'elle est à ce titre l'unique survivance des opérations menées par les Robinsons des glaces. Comme quoi ma volonté de tourner la page n'a pas été complètement suivie d'effets, et que l'initiative a semé des graines qui ont germé en mon absence… C'était mon souhait. Mais les œuvres d'art issues de ces aventures pourraient être au nombre de mille qu'elles ne changeraient rien à la donne, que la banquise polaire disparaîtra quand même, et que l'humanité emboîtera le pas.

Je pensais que la glace protégerait l'Arctique bien assez longtemps pour permettre à nos successeurs de se tourner vers lui chaque fois qu'ils en ressentiraient la nécessité. Je n'imaginais pas, à l'échelle de ma vie, être témoin d'une désolation. L'Arctique a cédé sur bien des fronts ; les icebergs du Groenland sont plus petits, faute d'inlandsis à la hauteur, et particulièrement nombreux, faute de gel pour les retenir au glacier mère. L'effet d'albédo joue en défaveur du système : moins d'étendues de neige ou de glace blanche, c'est plus de chaleur absorbée par le sol et les mers de couleur sombre, et une fonte amplifiée. En Alaska, en Sibérie, le permafrost dégèle et s'écoule en boues ; arbres et édifices qui y prenaient appui s'effondrent. Les flux dépressionnaires se sont déplacés vers le nord, si bien que dans les régions connues pour leur climat sec et stable, l'air doux et humide est venu, apportant la neige ; plus au sud où il neigeait, il se met à pleuvoir. La faune, quand elle n'est pas affamée par les gels et dégels intempestifs, suit le mouvement : ainsi du cormoran, de l'orignal ou de la morue, que l'on rencontre toujours plus au nord. Il m'est par exemple arrivé d'observer une coccinelle fin septembre dans l'Arctique canadien, au-dessus du cercle polaire, à une saison où les habitants de Old Crow voient habituellement leur rivière commencer à geler.

Ces modifications très nettes sont perceptibles par quiconque se rend là-bas. Qui souhaitera participer à un raid en traîneau à chiens sur la banquise devra une fois sur deux revoir son programme, car cette année il n'y aura pas de banquise. Mon dernier séjour à Ittoqqortoormiit, Groenland, était placé sous le signe de ces perturbations inhabituelles, même si leur récurrence les apparente à de nouvelles normes. Rien n'allait. À peine une tempête de vent avait-elle tassé la neige qu'une nouvelle chute recouvrait tout, étalant une poudreuse difficilement praticable tant pour les engins à chenilles que pour les randonneurs et les chiens. Je n'avais jamais constaté une telle succession de précipitations à cette latitude ; il nous fallut diviser par trois la longueur de notre raid à skis, et les étapes semblaient encore interminables. Quant à la banquise, elle ne s'était formée qu'à l'intérieur des fjords, tout ce qui faisait face au large restant libre, les eaux tempérées du Gulf Stream étant venues empêcher la mer de geler malgré la température négative de l'air. Les chasseurs n'ont pas été les moins surpris lorsqu'ils mirent leurs embarcations à l'eau en plein mois de février, ce qui, de mémoire de Groenlandais, ne s'était jamais vu.

L'instabilité prononcée du climat a précarisé le mode de vie des habitants. Les gens se sont regroupés dans un village unique, abandonnant les hameaux parce qu'il est devenu trop périlleux de les rejoindre : les glaces fragiles pourraient céder sous le poids d'un traîneau, l'emportant corps et biens. Les hivers où la mer ne prend pas, les chasseurs circulent dans la poudreuse à flanc de montagne, mettant les attelages à rude épreuve. Les ours peinent à réaliser des captures sous l'épaisse couverture de neige qui dissimule leur proie ; un coup de patte ne suffira pas à atteindre le phoque avant qu'il ne plonge dans son « agloo », le trou de respiration qu'il entretient dans la glace. Conséquence de ces perturbations récurrentes, les ours ont faim et se rapprochent des habitations. Certains sont agressifs et s'en prennent à l'homme ; deux ours polaires ont ainsi été abattus à quelques kilomètres du village d'Ittoqqortoormiit après avoir attaqué des aventuriers français. Cela s'est passé au niveau du cap où quelques jours plus tôt j'étais allé déposer sur une plaque dérivante la « Capsule sentinelle », bouée à l'épreuve des chocs surmontée d'une balise Argos contenant des poèmes et des dessins d'enfants. La capsule a circulé avec les glaces durant quatre mois avant de cesser d'émettre, et de poursuive son voyage sans que personne encore ne la retrouve. Notre bouteille à la mer.

La confusion climatique autour des Pôles ne serait pas inquiétante si elle n'était qu'accidentelle. Or l'exception est devenue loi. Chacune de mes expéditions de ces dix dernières années est marquée par une anomalie. Les glaces manquent au rendez-vous de l'hiver, faute de grands froids, mais perturbent la navigation l'été, pour ne pas avoir été fermement retenues. Le réchauffement touche de manière particulièrement marquée les régions de l'Arctique non montagneuses et qui sont en conséquence dépourvues de glaciers, comme les Territoires du Nord-Ouest, frange du Canada qui borde l'océan Arctique. Cette année-là, il avait beaucoup plu, mais rien d'anormal. Les rivières étaient à un niveau élevé et le canoë ne risquait pas de toucher le fond. C'est l'ensemble de la saison de printemps qui avait été, me disait-on, exceptionnellement mauvaise. La nature qui accusait le coup avait produit un nombre limité de baies et de champignons. Ici je n'avais pas affaire à l'ours blanc, mais au grizzli, dont je me méfie davantage, et comme celui-ci se nourrit en été essentiellement de baies et de champignons, il avait cette saison-là particulièrement faim. J'ai été attaqué deux fois et ne doit mon salut qu'au fait que le grizzli, contrairement à son cousin des glaces, est un nageur médiocre. Le plus jeune des deux, qui était aussi le plus déterminé, m'a poursuivi en courant le long de la berge et s'est mis à l'eau deux fois pour tenter de m'attraper. En barrant correctement, je lui ai échappé sans peine, et pour assurer un semblant de sécurité, je poursuivis mon périple en ne campant plus que sur les îles au milieu du large fleuve Anderson, là où je trouvais, et en abondance, des traces de caribous et de bœufs musqués, parfois de loups, mais pas une trace de grizzli.

Difficiles d'attribuer ces mésaventures au changement de climat et pourtant, les péripéties dues à une météo inhabituelle expliquent en partie pourquoi je n'organise plus d'expéditions. Le milieu est devenu d'un côté tellement chaud qu'il en est déplaisant – neige impraticable, pluies incessantes, invasions de moustiques – et d'un autre, si imprévisible qu'il multiplie les dangers – banquise fragile, dégels soudains, prédateurs faméliques. L'Arctique était jusqu'alors relativement stable dans son instabilité, si bien qu'on savait à peu près à quoi s'en tenir, quel équipement choisir et préparer l'itinéraire. Aujourd'hui, j'ai l'impression qu'il faut s'attendre à n'importe quoi où que l'on soit, dans l'Arctique comme en France où chaque année, des étés affligeants succèdent à des hivers absurdes. Alors que l'année 2011 fut la plus chaude jamais enregistrée en France depuis 1863, l'été 2012 est le plus torride que l'Arctique a connu, battant tous les records des années précédentes déjà jugées exceptionnelles ; fin juillet, le taux de fonte de la calotte du Groenland était déjà égal à celui attendu fin septembre.

La composition isotopique de la glace met en évidence les variations passées de température. Les bulles d'air emprisonnées préservent des échantillons de l'atmosphère de chaque époque tandis que les poussières et les aérosols témoignent d'activités exceptionnelles, comme les éruptions volcaniques. En juillet 2007, les chercheurs ont publié les résultats obtenus des prélèvements effectués sur la base franco-italienne de Concordia en Antarctique, après plus de dix ans de forage et six mille analyses de carottes et d'échantillons de glace. Ces travaux ont notamment révélé l'existence de quatre périodes glaciaires séparées par des périodes plus chaudes, mais également une relation très forte entre variations climatiques et concentration des gaz à effet de serre. En outre, jamais la quantité de CO2 dans l'atmosphère n'a été aussi importante depuis des dizaines de milliers d'années : au cours du XXe siècle elle a progressé de 30 %, en corrélation parfaite avec l'accroissement de la consommation des énergies fossiles. Le réchauffement se déroule à une vitesse inédite dans l'histoire du climat ; le lien de cause à effet entre nos expulsions de gaz à effet de serre et les dérèglements climatiques est aussi manifeste qu'entre le tabagisme et le cancer du poumon.

À latitude égale, l'Antarctique est plus froid que l'Arctique, les navigateurs l'ont remarqué dès le XVIIIe siècle et ont bien vite perdu l'espoir de découvrir en dessous du 50e parallèle sud un continent habitable. Cette différence thermique est due à la géographie : le Nord est un océan gelé entouré de terres ; ces terres accumulent le rayonnement solaire en été et réchauffent l'atmosphère. Le Sud est un continent gelé entouré d'océan, lequel disperse la chaleur solaire et l'atmosphère reste fraîche. Les mers australes, glacées et tumultueuses, semblaient présenter une barrière climatique que les fumées et vapeurs anthropiques ne menaçaient pas de franchir.

Les scientifiques ont commencé par avancer que le pôle Sud n'était pas touché de manière significative par la récession des glaces. Puis, force leur fut de constater que la péninsule Antarctique, qui fait face à la Patagonie dans le prolongement de la cordillère des Andes, subissait un retrait glaciaire important, lequel semblait pourtant compensé, réchauffement oblige, par une augmentation des précipitations neigeuses et la formation de nouvelles glaces. Or l'analyse d'images satellitaires a permis de constater la perte annuelle en Antarctique de 200 milliards de tonnes de glaces, soit autant qu'au Groenland, le rythme d'écoulement s'étant accru de 60 % à 120 % en seulement dix ans. C'est la partie ouest du continent, encadrée par la mer de Weddell et la mer de Ross, qui est touchée, alors que l'Antarctique oriental, de la terre de la Reine Maud et la terre Adélie, n'a pas subi de déficit notoire. En toute logique, c'est la portion la moins froide du continent qui s'atrophie en premier.

Si l'inlandsis groenlandais venait à fondre intégralement, le niveau des océans augmenterait de 7 mètres. Ce niveau augmenterait de 60 mètres si un tel événement arrivait à l'Antarctique. Événement peu probable dans les siècles à venir, mais même une fonte partielle aurait des répercussions désastreuses, changerait des centaines de métropoles en cités lacustres, les privant d'eau potable, et dévasterait les surfaces agricoles les plus fertiles du monde, comme le bassin du Gange, le delta du Nil et la baie de Somme, qui sont les plaines alluviales. La hausse des mers prévue d'ici 2100 était estimée, en 2000, à environ un mètre, essentiellement sous l'effet de la dilatation des océans. À présent, des chercheurs qui prennent mieux en compte la fonte des inlandsis parlent de six mètres.

L'effet du réchauffement climatique sur les régions polaires ne s'arrête pas là. On observe depuis quelques années une réduction des effectifs d'albatros dans les mers australes, ainsi que du manchot empereur et du manchot Adélie. Ces animaux, tout comme le petit rorqual, l'otarie à fourrure ou le phoque crabier, se nourrissent presque exclusivement de krill, espèce de crevette que l'on trouve en abondance dans les eaux froides. Mais les eaux océaniques qui ceinturent le continent antarctique se sont réchauffées et ne présentent plus des conditions propices à la reproduction du krill, lequel a régressé de 80 % en seulement trente ans. À ce rythme, il pourrait avoir disparu d'ici 2030, et les animaux qui se placent en haut de l'échelle alimentaire, dont les extravagants manchots, le suivraient inéluctablement.

L'océan a absorbé, à sa surface, près de la moitié des 120 milliards de tonnes de carbone d'origine fossile expulsés dans l'air par les activités humaines. Un tel afflux de carbone n'est pas allé sans modifier le pH de l'eau de mer, qui s'est mis à diminuer. Or une eau trop acide devient corrosive à l'aragonite, variété de calcaire utilisée par de nombreux organismes, dont les crustacés, les étoiles de mer et le corail, pour fabriquer leur squelette externe. En conséquence, les barrières de corail devraient s'éteindre à 95 %. La plupart des espèces marines disposant d'une carapace ou qui vivent à l'abri des barrières de corail disparaîtraient, accompagnées des mammifères, des oiseaux et des peuples qui en sont tributaires.

Ce n'est pas tout. Les banquises permanentes de l'océan Arctique ont un rôle décisif sur la vie des océans. En maintenant l'eau de mer glacée, elles assurent ce que les scientifiques appellent la circulation verticale : les eaux froides et denses coulent et se répandent en profondeur dans l'ensemble des océans du globe, assurant leur oxygénation. Moins de différence de température entre les eaux du nord et celles du sud signifie des courants océaniques ralentis et un oxygène moins bien réparti. Les chercheurs constatent une extension alarmante des zones « mortes » où les poissons ont disparu, en premier lieu les grands poissons à rostre comme le marlin ou l'espadon qui ont besoin de beaucoup d'oxygène qu'ils vont chercher dans les fonds. La raréfaction de l'oxygène dans les océans sera probablement la conséquence la plus terrible de la montée en température de la planète ; d'aucuns pensent qu'un tel événement peut expliquer les grands épisodes d'extinction des espèces, dont celui du Jurassique.

Quant au ciel, faut-il rappeler qu'il s'obscurcit ? Depuis les années 1950 que des mesures sont effectuées, l'ensoleillement n'a cessé de décroître, et avec lui le taux d'évaporation. Les aérosols rejetés par les activités humaines ont rendu l'atmosphère plus opaque ; des régions entières, comme l'Asie du Sud-Est, vivent sous un nuage de pollution permanent. À cet écran de poussières s'ajoutent les nuages d'altitude artificiellement générés par les traînées de condensation des avions, qui elles aussi font barrage à l'ensoleillement. Il en résulte que 10 à 20 % des rayons solaires qui auraient dû toucher la Terre et la chauffer ne l'atteignent plus.

Ce phénomène appelé obscurcissement planétaire devrait entraîner un refroidissement global de l'atmosphère. Or l'atmosphère se réchauffe. L'on en déduira que si les pollutions visibles et les traînées des avions n'étaient pas là pour renvoyer dans l'espace une partie de la chaleur solaire, le réchauffement serait beaucoup plus net. Sans le tampon amortisseur de nos fumées, l'effet de serre aurait provoqué une hausse non pas de 1 °C par rapport au début du XXe siècle, mais de 2 à 3 °C. Si cette affirmation ne peut guère être mise en évidence car il n'est pas possible d'ôter expérimentalement les poussières de l'atmosphère pour mesurer les conséquences sur l'ensoleillement, un événement est venu appuyer la recherche : le 11 septembre 2001. Immédiatement après les attentats, les autorités américaines interdirent le survol de l'intégralité de leur territoire, et ceci durant trois jours. Trois petits jours où le rayonnement solaire ne fut plus réfléchi par les nuages d'altitude engendrés par le passage des aéronefs, et à l'issue desquels la température enregistrée afficha 1 °C de plus sur l'ensemble des États-Unis, aberration thermique jusqu'alors inimaginable. Un degré supplémentaire, alors qu'un seul facteur d'obscurcissement avait été suspendu.

Il n'y a pas de limite à l'effet de serre. Si la Terre se rapprochait du soleil pour se placer sur la même orbite que Vénus, la température moyenne de sa surface passerait à 50 °C environ, contre 16 °C là où nous nous trouvons. Or Vénus, qui est soumise à un effet de serre intense en raison d'une atmosphère composée à 96 % de gaz carbonique, connaît une température superficielle de 420 °C.

Puisque nous continuons de nous diriger vers la fourchette haute des estimations de températures pour 2100, et qu'on peut estimer que les poussières et les avions, en raison de la raréfaction des combustibles, resteront majoritairement au sol à compter de 2050, ce n'est pas 4 °C que nous risquons de prendre, ce qui est déjà énorme, mais plus vraisemblablement 6, 8, voire 10 °C. Dix degrés en plus sur la Terre, c'est deux fois la différence qui nous sépare de la dernière période glaciaire, quand la glace recouvrait l'Angleterre et descendait jusqu'à la vallée du Rhône. Une telle chaleur engendrerait inévitablement la fusion des hydrates de méthane stockés dans le pergélisol sibérien, libérant en masse un gaz à effet de serre, le méthane, vingt fois plus redoutable que le CO2. Chauffés à leur tour, les océans se mettraient à relâcher dans l'atmosphère les quelque 10 000 gigatonnes d'hydrates de méthane retenus dans les profondeurs, soit deux fois la masse de tous les hydrocarbures. L'effet de serre consécutif à cette réaction en chaîne serait alors tel que la Terre tendrait vers une température qu'elle n'a pas connue depuis quatre milliards d'années, à l'orée de son histoire.

Cinquième partie

LE NOUVEAU MONDE

Les Nénetses, peuple de l'Arctique russe, vivent aujourd'hui encore en nomades, menant leurs troupeaux de rennes à travers la toundra tout l'été. Au nord de leur pays commence l'océan Glacial, où résident les esprits. D'en bas, du sud vient le mal, le danger, incarné pour eux par le cavalier russe. Le cheval est mauvais. Pour preuve, ses sabots qui lui permettent de remonter du fond de la Terre en grattant le sol. Pour les Nénetses, tout ce qui vient d'en bas est mauvais, et tout ce qui vient d'en haut est bon. Le renne est bon parce qu'il descend du ciel, comme le confirment ses pieds dotés de touffes de poils destinées à amortir son atterrissage…

Les Nénetses ne s'inquiètent pas de l'arrivée des prospecteurs sur leur territoire ; ils savent que lorsque les puits de pétrole et de gaz seront épuisés, les Russes retourneront chez eux et la toundra reviendra aux nomades. Le temps rétablira l'ordre des choses. Les Nénetses ne s'inquiètent pas non plus d'un phénomène qui, lui aussi, n'est vraisemblablement que passager : la chaleur. L'été, il peut désormais faire 30 °C au bord de l'océan Glacial Arctique, température insupportable pour ces familiers des frimas, qui n'ont jamais rien connu de tel. Pendant ce temps, les maisons que les Russes ont semées ici où là pour marquer leur présence s'effondrent sur elles-mêmes. Le sol sur lequel elles prenaient appui a dégelé.

Pour les Nénetses, le bien est dans le ciel, le mal sous terre, les deux forces s'affrontant sans que jamais ni l'une ni l'autre ne l'emporte. Voilà pourquoi les hommes ne changent pas et que la vie se perpétue à travers les âges : le bon et le mauvais s'équilibrent. Il y a la vie, il y a la mort, puis il y a encore la vie.

La tradition nénetse n'a pas envisagé de fin à l'histoire. L'histoire, pourtant, va se terminer. Les forces du mal ont trouvé un moyen de vaincre les forces du bien : employer la paresse et la cupidité des hommes. Ce qui est mal vient du bas. Le pétrole, le gaz pompés dans le sous-sol appartiennent au royaume du mal. Après avoir été puisés puis brûlés par les hommes, pétrole et gaz envoient une armée de soldats invisibles à l'assaut du ciel. Et le ciel de suffoquer. Et l'équilibre qui depuis l'aube des temps assurait la prospérité du monde, de vaciller.

La plupart des grandes traditions spirituelles associent le bien, sinon le paradis, au Nord. L'Hyperborée des Grecs était ce pays de cocagne où Apollon aimait se retirer une fois l'an. De ce territoire inaccessible, que l'on pressentait couvert de glaces éternelles, rayonnait la lumière civilisatrice. La perfection était attribuée au Nord, ce théâtre où l'épreuve du froid autorise la purification des âmes et l'héroïsme. Le Septentrion romain – sept comme le nombre d'étoiles qui composent la constellation de la Grande Ourse – désigne le même espace mystérieux que la Thulé évoquée par l'explo-rateur grec Pythéas, et que reflètent dans le miroir céleste Callisto et son fils Arcas, tous deux changés en ours pour indiquer l'étoile Polaire, l'Arcadie sidérale : l'Arctique.

Longtemps, l'Occident manifesta une réticence à aborder les glaces. Cette réticence peut être interprétée comme une pudeur, de la circonspection face à l'infiniment grand et à l'infiniment pur, à l'irrémédiablement fatal. Il faudra attendre le XXe siècle avant que des hommes visant les Pôles, citadelles hautes des royaumes gelés, en reviennent vivants et témoignent. Il n'y a pas d'au-delà aux glaces. L'homme n'a rien à faire auprès d'elles mais il peut en triompher : voilà tout ce que l'on souhaitait savoir. Bastions du cristal, les toits du monde étaient au nombre de trois : le pôle Nord, le pôle Sud et l'Himalaya. Tous trois sont tombés, avec leurs mystères.

La nouvelle de la chute des Pôles obligea le poète à faire des rêves plus grands. Beaucoup reportèrent aux confins des étoiles leur besoin de mondes inexplorés, greffant à des galaxies lointaines les pays extraordinaires qu'ils ne pouvaient plus situer sur terre. Quelques-uns s'obstinèrent, comme Barjavel dissimulant sous la calotte glaciaire antarctique le noyau résiduel de la civilisation de Gondawa. Parce qu'ils savaient synthétiser l'or, qu'ils connaissaient l'équation de Zoran par laquelle tout peut être créé à partir de rien, et qu'ils possédaient des ordinateurs capables d'apparier à la perfection les jeunes garçons aux jeunes filles, les habitants de Gondawa semblaient avoir atteint la perfection. La guerre nucléaire les effaça de l'histoire et fit dériver leur continent au pôle Sud où les glaces, année après année, figèrent leurs précieuses connaissances. La glace, pour Barjavel, est un tombeau qui défie l'érosion du temps et préserve les plus précieux secrets. Mais les nations modernes qui perceront l'Antarctique, avides de garder à leur seul profit les merveilles de Gondawa, ne provoqueront que leur destruction.

La conquête des Pôles, si elle poussa les auteurs à aller chercher aux confins des étoiles leurs mondes idéaux, n'empêcha pas certains de revenir sur la Terre tenter de convertir l'humanité à la sagesse. Les Pôles, antichambres de l'espace, sont alors choisis comme lieux de transit. Dans *Superman*, la glace matérialise la puissance et la perfection de l'au-delà. C'est au pôle Nord, au cœur d'un palais cristallisé appelé la « Forteresse de solitude », que le héros entre en contact avec son père mort sur une lointaine planète, et que sa mission lui est révélée. À l'instar du Christ, Superman doit employer ses forces au service du Bien, et cela même si les hommes ne lui en témoignent aucune reconnaissance. Il sait sa mission d'une importance telle qu'elle le condamne à la solitude, à la solitude des glaces dont il doit faire sa forteresse ; à cette seule condition il pourra préserver le sanctuaire sacré, et fragile, de son âme.

Aucun des romanciers, des poètes ou des cinéastes qui s'intéressèrent aux glaces, depuis le début de l'histoire du monde, n'a envisagé leur disparition. Tous estimaient que s'il y avait sur Terre une éternité, elle était au Pôle. Personne ne lacéra, même en cauchemar, les mers gelées de lignes commerciales, d'enjeux politiques et économiques sordides. Aucun conquérant pour livrer la Terre entière en pâture à l'homme. Excepté Jules Verne – mais il tourne ses apprentis sorciers en ridicule et à la fin du roman la banquise est sauve – aucun visionnaire, prophète ou vieux fou n'a présagé la fin du monde par la fin des glaces. C'est par les glaces, pourtant, que la fin vient de commencer.

Nous nous étions habitués à des déprédations visibles, aux nuages de poussières et aux marées noires. Nous avions appris, un peu, à les combattre, introduisant des réglementations et délimitant des zones protégées. Nous pouvions espérer éviter le pire. Mais nous n'avons cessé de nourrir le pire, qui est le mal invisible. Le réchauffement climatique est la conséquence de notre désinvolture, de notre paresse morale et physique. Invisible, il n'en est pas moins la pire atteinte infligée à la Terre, sa plus létale blessure.

Des centaines de glaciologues de toutes nationalités s'ingénient à pronostiquer la vitesse de fonte des calottes glaciaires, et n'y parviennent pas : tout va toujours plus vite qu'ils ne le prévoient. Comme si la glace, se sachant perdue, n'avait plus de pudeur à se déliter, et se plaisait à décontenancer les scientifiques dans un dernier baroud d'honneur. Lesquels poursuivent leur patient travail : ils jaugent, analysent, mesurent. Ils continuent d'affirmer ce que l'on savait déjà – la glace fond – en tentant de justifier leur travail par l'adjonction de chiffres. Mais les chiffres se contredisent et ne changent rien à la réalité, ne concourent en aucune manière à rendre l'homme plus humain, plus sobre, plus sage. L'étude scientifique, si elle constate les dégâts, n'apporte pas de formule susceptible de les réparer. Elle ne stimule pas la conscience, n'active pas le rêve, n'incite pas à la bravoure, à la poésie ou à l'impossible. La science ne s'intéresse pas aux ressorts humains.

La tradition spirituelle chrétienne se tourne peu vers le Nord, mais elle se fonde, comme l'animisme des Nénetses, sur la constatation que le Bien arrive d'en haut et que le Mal vient d'en bas. L'enfer est lié à la chaleur excessive, aux brasiers des profondeurs magmatiques. Le pétrole, substance tellurique noire qui crache les flammes, souille le ciel qui jusque-là apportait la vie et reflétait l'éternel, et l'afflige du souffle chaud de la géhenne. Plus la latitude – ou l'altitude – s'accroît, plus il fait froid, plus grande est la transparence. La glace qui coiffe les Pôles comme les hautes montagnes est fille de la transparence. Symboliquement, la glace est bonne puisqu'elle naît de la cristallisation du ciel ; par le ciel elle est placée sur la Terre. La glace est un dépôt d'âme. Sans valeur commerciale, insaisissable, éphémère, la glace n'engendre ni l'envie ni la cupidité mais elle inspire, à l'instar de Dieu, soit la crainte, soit la passion de la vie et l'amour de la beauté.

L'auteur américain Barry Lopez tente un parallèle singulier entre les glaces polaires et la spiritualité chrétienne. Observant le tableau *Les icebergs* du peintre luminariste F. E. Church, il établit une comparaison entre l'iceberg et la cathédrale, tous deux présentant une architecture de la lumière. La lumière captée par les bâtisseurs médiévaux pour aider à cheminer vers Dieu se retrouverait dans ces édifices naturels, ces « colonnes de cristal » que décrivait l'Irlandais saint Brendan qui reconnut en l'une d'elles « l'œil de Dieu ». Barry Lopez poursuit en proposant une lecture de l'histoire qui ne soit pas dictée par l'analyse rationaliste. Même si l'homme a « vaincu la variole » et « domestiqué l'atome », faits imputables à des manipulations physiques, ce dernier n'aurait pas progressé humainement depuis neuf cents ans et, absorbé par ses compétences concernant la matière, aurait même régressé. « Nous ne vivons plus un âge de mystiques mais d'experts férus de performances. On pourrait dire, en effet, que l'érection des cathédrales fut le dernier grand pas effectué par l'homme européen avant qu'il ne retombe dans le confinement de son intellect. »

La cause primordiale du réchauffement climatique, avant même l'usage impénitent des énergies fossiles, pourrait donc être le « confinement de l'intellect ». La culture européenne, en effet, ne propose plus à l'individu d'élargir sa conscience. L'individu doit prioritairement affûter sa qualité d'outil au service d'une économie, tout en amplifiant ses besoins de consommateur. Son intellect lui confirme le bien-fondé de son existence ; qu'en est-il de son intuition ? Le spirituel ne s'exprime plus, n'érige plus les cités. La glace, en fondant, et l'océan, en s'acidifiant, ne font que répondre mécaniquement à un effet mécanique, engendré par un homme mécanisé.

Ne parlons plus d'écologie. La « séquence historique unique », le « sommet de la dernière chance » s'est tenu à Rio en juin 2012, vingt ans après l'édition de 1992 où est né le programme international de lutte contre les changements climatiques. Le sommet de la Terre est fini, il ne s'est rien passé. Nos élections présidentielles sont finies, il ne s'est rien passé non plus, sinon le retour aux vieilles lunes de la croissance. Tout écologiste sincère aura assisté à la consommation du désastre. Et tous ceux qui, cinq années plus tôt, avaient cru que quelque chose était possible, s'étaient montrés prêts à se rassembler au-delà des clivages d'opinion autour d'une bannière unique, ceux-là sont retournés s'occuper de leurs affaires et ont évacué l'avenir de leurs conversations. Maintenant que le train est passé, les convertis de fraîche date à l'écologie ont déserté le quai, tandis que les passionnés de toujours sont restés dans la gare à ruminer leur amertume. La dernière de nos grandes espérances collectives n'a pas fait long feu, nous voici à nouveau dans le chacun pour soi. « Maintenant, comme dirait Marguerite Duras, on pourrait presque enseigner aux enfants dans les écoles comment la planète va mourir, non pas comme une probabilité mais comme l'histoire du futur. »

Nous évoluons dans un système tel que nous n'aurons d'autre choix pour survivre que de nous accrocher plus fort encore à lui, et nous détruirons tout. Les efforts réalisés ici et là pour réduire les pollutions et améliorer les choses, aussi louables soient-ils, n'ont en rien infléchi la tendance générale. Aucune personne un tant soit peu lucide ne peut plus croire que la science ou le pouvoir politique interviendront efficacement ; l'un et l'autre n'ont brillé que par le discours. Personne non plus n'imagine qu'un individu ou qu'un groupe d'individus parviendra à changer quoi que ce soit ; on a vu les plus grands prophètes de l'écologie continuer de consommer sans vergogne, car incapables, comme tout un chacun, de lier la parole aux actes. Faire confiance aux autres comme à soi-même est par conséquent inutile. Alors ? Alors, rien. De toutes façons, transports, boulot, impôts, famille, couple, mal-être, on est tous déjà usés par la vie.

Nous ne sommes pas tant accablés physiquement que nerveusement, fragilisés par les responsabilités qui nous incombent et notre faible marge de manœuvre. Seuls face à une multitude de possibles, nous faisons souvent des choix par précipitation ou par défaut, choix rapidement dépassés par une nouvelle opportunité, par une tentation, en quête que nous sommes d'une stabilité sociale et affective d'autant plus hypothétique qu'elle entre en contradiction avec notre exigence de liberté. Ce n'est plus l'intérêt général qui détermine de nos mœurs, mais l'intérêt personnel selon ce que nous pensons être bon pour nous ; ainsi, tout fantasme est à satisfaire, toute aspiration est à suivre, seul compte d'accéder au plus haut niveau de réalisation personnelle. Et pour ce faire, tous les moyens sont bons : on change de métier, de domicile, de destination de vacances, de conjoint ; on aimerait aussi trouver de nouvelles voies, écarter ces horizons que la paresse des heures tend à effondrer. Incapables de contribuer à la grande histoire, qui par ailleurs ne nous a pas sollicités, nous multiplions les petites, pressés de connaître le maximum de vies en une seule, comme s'il ne nous restait plus beaucoup de temps.

Pris au piège, nous ne ferons que précipiter la chute si nous persistons à espérer quoi que ce soit qui va dans le sens du tourbillon qui nous entraîne. Quant à ceux qui pensent que la technologie apportera la solution à la question humaine et terrestre, il est bon de rappeler que cette idée, inspirée du positivisme, n'est qu'une vue de l'esprit que les faits ne font plutôt qu'invalider : ce sont les pays les plus évolués technologiquement et intellectuellement, en premier lieu les États-Unis, les plus conscients, donc, des enjeux écologiques et les plus à même d'y répondre, qui sont parallèlement les plus grands consommateurs d'énergies fossiles, les plus déments pollueurs. Il en est de même du Canada, de l'Australie ou de la Norvège : la propreté d'un pays riche et éduqué est une illusion, une image commerciale qui dissimule des politiques industrielles, minières et énergétiques qui n'épargnent rien. Et chacun, Chine en tête, de mettre les bouchées doubles pour les imiter. En outre, les économies attendues d'une amélioration due à la technologie sont presque toujours annihilées par l'accroissement de l'usage qui en est fait : des voitures un peu moins salissantes mais qui circulent davantage, des maisons mieux isolées mais chauffées plus fort, des appareils ménagers économes mais plus nombreux, etc. La science ne nous sauvera pas si nous ne modifions pas notre mode de vie, ce que nous ne ferons jamais, nous l'avons bien compris, par la volonté. Un cœur désabusé en appellera volontiers à la fin de l'espèce humaine afin que la nature reprenne les droits qui lui furent dérobés. Au mieux, s'il voit un espoir, ce sera après la catastrophe, une fois le système anéanti par quelque cataclysme naturel ou économique, et la population largement éclaircie. Peut-être. Peut-être, si rédemption il doit y avoir, elle ne se manifestera qu'après la chute.

Pour moi, il reste un espoir, mais un seul. L'ensemble de nos pensées et actes devraient tendre rigoureusement vers cet espoir qui n'a ni objet ni état mais qui, s'il devait être nommé, et il doit l'être, correspond assez bien à l'idée que nos prédécesseurs se faisaient du Nouveau Monde.

L'autre monde, celui qu'on soupçonnait tout juste, ce monde que les Anciens disaient barbare, celui que la civilisation n'avait pas encore atteint, espoir insatiable des marins et des lettrés pariant sur une Renaissance. La découverte de l'Amérique à la fin du XVe siècle coïncide avec la résurrection des arts, avec l'éveil de l'humanisme et des mœurs : l'âge d'or pour un Occident assoiffé de conquêtes. Il n'y eut de conquêtes que parce qu'il y avait espoir, et il n'y a eu espoir que parce qu'un territoire vierge pouvait les accueillir. L'Amérique s'est construite autour de ce que l'Occident y a projeté : du désir de puissance à celui d'ascèse, du fantasme impérialiste au culte de la liberté, tout ce qui a fait l'Amérique est le résultat des passions d'une Europe fascinée par un continent où tout pouvait être réalisé. Le Nouveau Monde était là, dans cette autorisation accordée par la nature à l'homme européen pour qu'il se déchaîne, pour le meilleur comme pour le pire mais, dans un cas comme dans l'autre, la vie savait ce qu'elle voulait.

L'aventure a diverti quelques générations avant que le Nouveau Monde ne s'use et ne parte à son tour en quête d'un autre territoire à explorer. La Terre, malheureusement, manquait désormais de perspectives. Il ne restait que l'espace sidéral pour y ouvrir les mines d'or de l'imaginaire, s'épandre encore, s'enrichir d'espoir, s'émerveiller : alors, l'Amérique s'engagea corps et âme dans ce qu'elle appelait, à la juste idée de son ambition, « la conquête de l'espace ». Le premier pas sur la Lune n'était que la première étape d'un projet beaucoup plus vaste car le Nouveau Monde convoité ne pouvait pas être un caillou gris dépouillé d'atmosphère, il se trouvait plus loin, sur d'autres planètes. La Lune n'était qu'un tremplin.

Au moment où la Terre devenait trop petite, l'Amérique s'est sentie comme obligée de proposer au monde une compensation à la disparition de son propre mythe, en lui proposant des territoires neufs où tout recommencer. Ce rêve a été mis en scène en 1969, il y a près d'un demi-siècle. Depuis, plus rien. Les missions Apollo représentent les seuls voyages habités en dehors du champ gravitationnel terrestre. Rien de semblable n'a été entrepris depuis, en dépit de progrès technologiques substantiels et d'une connaissance affûtée des réactions de l'organisme au cloisonnement et à l'apesanteur. Alors qu'il s'agissait de développer le plus puissant espoir de l'humanité depuis la découverte de l'Amérique, le progrès a pour la première fois de son histoire été incapable d'améliorer ou seulement de réitérer ce qu'il a pu produire antérieurement. Les séjours en orbite se sont multipliés, mais restent sans commune difficulté avec ce qui a été accompli pour permettre à des hommes de poser les pieds sur la Lune et d'en revenir sains et saufs. Ce repli de l'évolution naturelle de la science et des performances, sans équivalent dans aucun autre domaine, s'il ne nous questionne pas sur ce qui a été effectivement réalisé par les Américains, nous place alors devant l'échec le plus cuisant des temps modernes : l'incapacité définitive du progrès de nous offrir un Nouveau Monde.

Après avoir échoué dans sa quête du plus grand, car confronté à des contraintes de distance, d'autonomie, de temps et de radiations insurmontables, l'homme s'est tourné vers le plus petit. Aussi infini soit-il, le plus petit sera toujours à portée de main, et minimise les forces en jeu. C'est plus facile. Et voilà l'Amérique – elle, une fois encore ! – qui prend la tête de la révolution informatique et nanotechnologique. En la matière, le sens de l'histoire n'a pas déçu les espérances, les progrès technologiques firent des merveilles, et leurs bénéfices intégrèrent très rapidement le quotidien. Faute de mieux, le Nouveau Monde s'est virtualisé. Il passe par l'univers des jeux vidéo, par la communication universelle instantanée, et par des robots auxquels on adjoint des cellules cérébrales de rat.

Soyons lucides : nous avons été floués. Rien de neuf sous le soleil. Des océans placides, des terres vues et revues, des lointains qui n'étonnent plus, et nulle part où refaire sa vie à partir de rien. J'ignore si vous en souffrez, mais moi, oui. Le Nouveau Monde me manque comme peut manquer l'amour et son alcool, les soirs mauves et mystérieux, préludes à des matins alertes. Découvrir pour vivre. Se lancer à cœur perdu dans cette part d'inconnu qui sommeille en nous, pour se réveiller et se goûter nouveau soi-même.

Voilà donc ce que représentait pour moi l'Arctique. Ce territoire dont je ne savais initialement rien, je l'ai pêché à coups de rêves, comme un continent que l'on gagne sans en connaître les mœurs ou la géographie, car c'est l'inconnu, l'inconnu et la découverte qui font le sel du voyage comme ils font le sel de la vie. J'ai trouvé, là-haut, mon Amérique, et ce n'est pas qu'une image ! La nature étant maîtresse, les hommes n'y survivent que parce que les rares moments où ils se croisent, ils se regardent dans les yeux. On sait, là-bas, la valeur d'un poêle, d'un repas chaud ; les maisons sont construites de bric et de broc, autour on laisse traîner des outils, des pièces de bois, des morceaux de mécaniques, de filets, de peaux, les chiens ; on se déplace à pied, le fusil à l'épaule. Un Far North comme il y eut un Far West, mais qui va disparaître à son tour. J'ai connu, et je ne le comprends que maintenant en l'écrivant, l'un des derniers résidus de ce qui s'apparentait au Nouveau Monde tel qu'il s'est dessiné. Et je vous jure que la vie, la vraie vie, la passion, la patience, la douceur, la force, la beauté, l'amour dans ce qu'il a d'élevé et de noble, l'aventure, la fraternité faisaient partie de ce monde-là, de ce monde passé et en passe d'être définitivement dépassé, et qu'ils n'appartiennent plus à ce que nous connaissons aujourd'hui. Tout ce que nous retirons d'ici, à présent, est misérablement pauvre, pauvre, pauvre, mais nous avons le nez dessus et ne le voyons pas. Nous ne le voyons pas et pourtant notre instinct nous pousse perpétuellement à fuir, à chercher secours dans le sport, le loisir, l'écran d'ordinateur, le lien affectif, les habitudes, le cinéma, l'avantage à trois sous, miroir des alouettes qui, pour s'être laissées éblouir par de faux éclats, se font tuer par le chasseur.

Car voilà le fin mot de l'histoire : nous avons perdu notre appétit d'ailleurs, nous nous sommes resserrés autour de ce qui est à notre portée immédiate, en premier lieu soi-même, parce que nous avons perdu l'espoir du grand continent sauvage, la promesse du Nouveau Monde. Ce qui s'est passé avec l'alerte écologique c'est que tout d'un coup, on a cru entrevoir un tel monde, que le neuf, le vraiment neuf et fascinant par sa seule nouveauté, était peut-être caché derrière nos fumées et paresses, que la menace était une chance de voir poindre quelque chose qui soit là vraiment pour nous, à la dimension de nos rêves. Cet autre monde ne tenait pas à un nouveau continent ni une planète lointaine, puisque c'est sur Terre que demain se joue, mais à une autre manière de s'intégrer à ce qui est. Prendre la nature en compte était, nous le sentions, la base d'une recomposition de la vie qui appelait à espérer. Alors même que l'espace physiquement disponible ne fait que se résorber, il y avait en suspens une sorte d'espace psychique qu'il suffisait de capter, le concert des déclarations environnementalistes nous y invitait ; c'était comme un souffle, une occasion rare, que certains ont tenté de saisir au vol... Pas assez nombreux, pas encore assez nombreux, et sans doute aussi insuffisamment volontaires, pour retenir la chance avant qu'elle ne s'évanouisse.

L'horizon où convergeaient les regards ne se limitait pas à un territoire « vert », et c'est pour cela qu'il a mobilisé. Ce n'était pas une question de couleur. C'était un tout. Peut-être n'avons-nous pas su trouver les mots pour circonscrire ce tout et le rendre réellement désirable. Les idéologues y ont mis trop de dogmatisme, les industriels d'intentions commerciales, les ingénieurs d'utopies techniques. Or le sens de ce qu'on attendait ne tenait pas à un gain de rendement, à une part de marché ou une propagande politique, le sens était dans l'image que nous commencions collectivement à entrevoir du monde nouveau.

Les « écolo-sceptiques » n'ont rien compris. En semant le doute dans les esprits, non seulement ils ont rendu populaire l'idée que le climat était une question d'opinion et non de physique, mais surtout, ils ont brisé l'élan. Cet élan était historique ; il a fait éclore tant de réflexions et de sommets internationaux, décidé tant d'entreprises à intégrer l'environnement dans leurs pratiques, qu'on aurait pu croire, oui, que tout allait basculer, qu'une nouvelle ère se préparait à naître. Mais les débats se sont mis à tourner en rond, la confusion à s'installer, et c'en était fini. Le « scepticisme » a eu gain de cause ; le procès intenté à l'homme moderne a été suspendu pour non-lieu. Et le public qui avait trouvé dans l'aventure écologique l'occasion de s'emparer des grandes questions de son temps, s'en est majoritairement détourné, laissant aux technocrates le soin de décider pour lui. Les technocrates affirment que la mécanique mondiale pourrait parfaitement fonctionner en assénant des chiffres, en raisonnant en terme de masse et en identifiant l'homme à un être rationnel qui s'adapte à coup de « il suffit de », mais ces gens sont coupés, ils ne ressentent rien. Le monde ne fonctionne pas comme une équation, il obéit à une multitude de paramètres qui s'entrecroisent et dont les plus déterminants sont aussi les plus subjectifs. On peut faire confiance au paysan qui parle des changements qui affectent le ciel et le sol, car il les ressent. On ne peut pas prendre en compte l'opinion du technocrate, qui n'a ni la sensibilité de l'homme de terrain, ni la rigueur du scientifique, et dont le niveau de raisonnement ne dépasse généralement pas celui d'un enfant de onze ans.

L'écologie paraîtra à beaucoup secondaire au regard de la récession qui frappe une partie de l'Europe, et se prépare à toucher la France. Pourtant, ce qui mobilise désormais l'attention et active les peurs n'est pas si grave car il s'agit moins de sauver sa vie que son niveau de vie, acquis et sécurités. La Terre est plus importante que la récession. Le voyageur dont tout le bonheur tient dans un sac à dos le sait ; ce qui compte pour lui ce n'est pas la richesse des villages qu'il traverse, mais les sourires qu'il y croise. C'est sa relation à la nature qui le nourrit, et sa relation à l'homme lorsqu'il est émotionnellement vrai. Le départ pour l'aventure est la solution à tout, à la solitude, à l'anxiété, à l'ennui, c'est l'espoir derrière chaque colline : les seules crises qui affectent l'arpenteur de chemins sont celles qui blessent la nature. Nous qui ne bougeons pas et comptons sur nos salaires, allocations et retraites, nous sommes plus préoccupés par les signes de déliquescence de notre système dont on savait pourtant qu'il était intenable, que par les moyens à mettre en œuvre pour préserver la nature. La nature, avant que l'homme moderne ne s'empresse d'altérer ses équilibres millénaires, était la seule réalité durable sur laquelle nous pouvions compter. Le reste n'était que du vent. Il faudra un jour cesser de nous battre et d'avoir peur pour du vent. Rien de nouveau ne s'installera sur terre sans que le désir d'une vie réellement vécue ne nous pousse sur d'autres voies, en quête de notre Amérique.

Le Nouveau Monde doit exister, mais l'écologie seule ne nous permettra pas de l'atteindre. Les moyens disponibles pour qu'il advienne sont plus subtils que ceux auxquels nous avons jusqu'à présent eu recours. En vérité, ce monde est déjà en marche, il est constitué de millions de cellules autonomes mais isolées des autres, et qui semblent attendre l'événement qui leur permettra de se rassembler en un tout efficace. Aucun parti ne fédère ces chercheurs de cohérence, qui se distinguent par leur engagement quotidien, représentants discrets de ce vers quoi il faut tendre. Ils s'organisent par affinités au sein d'un réseau peu tangible, œuvrent insuffisamment encore, mais seraient prêts à faire beaucoup plus si un élan les y encourageait. Souvent, ils se demandent : comment s'organiser ? Comment rompre l'isolement et dégager un espace où nous pourrions nous retrouver nombreux, dans un même état d'esprit, pour que la nouveauté entrevue ici et là acquière sa nécessaire primauté ?

Les éclaireurs du Nouveau Monde animent des associations, dénoncent la corruption, respectent les sols, prennent la défense des arbres et des requins, soignent les éléphants... Ils savent que la valeur d'une personne ne tient pas à ce qu'elle possède mais à ce qu'elle est prête à donner. L'organisation que nous devons souhaiter ne produit pas de grands leaders, il n'y aura pas de personnage charismatique pour représenter tous les autres, mais une diversité de personnalités qui prendront chacune la place qu'elles doivent occuper, selon ce que leur conscience leur indique. Plus de slogans agressifs dans les rues, ni de consignes de vote, mais une communauté intuitive, en confiance, qui a dépassé la peur. Il ne s'agira jamais que de défendre l'évidence, le nombre d'or ; ne plus chercher à se défendre soi, mais être ce en quoi on croit.

Le feu qui couve en secret et émerge ici et là n'est pas anodin. Lentement, une part de la population prend conscience de sa capacité à orienter le monde, et l'incurie du pouvoir politique la confirme dans sa vocation. La cause écologique n'est pas une affaire de statistiques ou d'idéologie, elle est une affaire d'amour. Il faut avoir aimé la neige, la plante sauvage, l'animal blessé, pour comprendre ce qui nous lie à la nature et qu'une humanité qui se maintiendrait à flot sans elle n'aurait plus rien d'humain. Plus la nature rétrécit, plus sa capacité à nous nourrir tant physiquement que spirituellement recule, et plus nous nous éloignons de ce que nous poursuivons de nous-mêmes.

La restauration d'une relation directe entre l'homme et la nature est la première condition d'un monde harmonisé. La nature non comme un positionnement de principe, mais comme une expérience vécue et ressentie au plus profond de soi, une empathie avec la création. La nature, c'est le sentiment. Notre meilleure référence en la matière n'est pas le discours écologiste contemporain, mais la littérature classique car elle intègre la dimension émotionnelle et métaphysique de l'homme. Après la nature vient l'esprit, l'humilité à l'égard de ce qu'on ne comprend pas, le goût de ce qui nous dépasse, de l'invisible et du mystère, la conviction de ne pas être seul ; la spiritualité, c'est aussi le sentiment d'appartenance, de responsabilité dans le destin collectif et le service aux autres. Enfin, pour animer ces perceptions, il y a le sens de l'aventure, de l'entreprise, de la découverte et de l'action ; c'est l'engagement personnel, la passion au détriment du calcul et de la réserve, l'envie de batailler pour ne pas rester sur le quai, pour prendre le large et partir, enfin, à la conquête de ce lendemain promis qu'il ne tient qu'à nous d'arracher de ses tâtonnements.

J'ignore à quoi ressemblera le monde convoité et ne m'en fais aucune image. Qu'il soit peu différent de celui-ci ou bien méconnaissable, il sera au moins plus centré. La souffrance, la violence existeront toujours, il n'y a pas de société idéale à attendre d'un basculement de civilisation, mais il doit y avoir basculement, chacun sent aujourd'hui qu'il est inévitable, et pour que ce qui en ressorte soit bénéfique nous devons impérativement viser ces trois objectifs comme condition absolue du voyage : la proximité de la nature, la préoccupation des autres, l'implication de soi.

Quant au Nouveau Monde, il est tout ce que nous souhaitons et qui n'existe pas encore. Il est moins ce vers quoi l'on tend que l'énergie qui nous mobilise. Cette énergie est le désir. Nous ne quitterons notre modèle actuel que si celui à venir paraît meilleur non pour l'humanité – concept trop théorique – mais pour nous-mêmes. Des millions d'Européens ont un jour pris le formidable risque de s'engager dans la traversée de l'Atlantique parce qu'ils étaient animés par le désir et l'espérance, parce qu'ils étaient prêts à tout quitter, à tout risquer pour trouver une terre où vivre en grand, parce qu'on leur avait parlé de l'Amérique et que le rêve une fois semé a agi comme une tornade. Ce monde, il faut le vouloir de toutes ses forces, l'imaginer merveilleux et s'embarquer pour la grande traversée : alors, à l'issue d'une navigation dont on ne sait la durée, un beau matin, il sortira des brumes.

Le Nouveau Monde ne se cache pas dans une étoile lointaine ou une révolution informatique, il est ici, dans ce que nous connaissons mais que nous laissons en sommeil. Dire que cette autre terre est en nous ne suffira pas à la trouver. La placer dans l'intemporel et l'impalpable n'aidera en rien à résoudre ce qui se déroule ici-bas et nous laissera plus seuls encore avec nous-mêmes, à la merci des angoisses qui nous accablent déjà. Nous respirons mal, nous sommes perdus, allons où les circonstances nous obligent. Nous sommes malades et jouons un jeu médiocre parce que nous ne savons pas où nous tourner, vers qui, et préférons nous enfermer dans nos malaises alors que l'autre monde est au bout des doigts. Mais pour l'atteindre, il faut cesser le jeu des apparences, de la fonction, des relations, cesser de jouer pour se questionner vraiment, se nourrir spirituellement, et agir. Vous reconnaîtrez le Nouveau

Monde aux trois sources où il puise sa matière : la première de ces sources est le passé, là se cache ce que nous avons perdu et que nous devons réapprendre, la deuxième se manifeste dans ce qui nous entoure ici-même et que faute de sensibilité nous ne remarquons pas, et la troisième tient dans l'image que nous nous construisons collectivement de l'avenir. Ainsi, le Nouveau Monde sera à la fois composé du monde que nous avons oublié, de celui qui existe déjà et qu'il faut révéler, et de celui qui doit advenir.

C'est autour du 20 septembre que se mesure la rétraction maximale des banquises de l'océan Glacial, au retour des gelées permanentes. En 2012 nous n'aurons pas eu besoin d'attendre cette date pour apprendre que le record d'anéantissement de 2007 était battu. Il a suffit d'une tempête mi-août pour briser en morceau les plaques affaiblies, et volatiliser le paradis blanc. Cela s'est produit alors que nous étions à la plage. Notre préoccupation était de passer de bonnes vacances, simplement de bonnes vacances. Le temple de la Terre, pendant ce temps, perdait sa clé de voûte.

Repérez sur une mappemonde la mer de Lincoln évoquée un peu plus tôt. C'est là que se maintiendront les toutes dernières banquises pluriannuelles. Désormais, la presse en publiera la carte chaque année, et chaque année, vous y verrez une tâche blanche plus petite. En 2020, même avant, ce sera définitivement terminé. Mon idée des Robinsons des glaces n'était pas si sotte. Aujourd'hui, une banquise dérivante suffisamment épaisse pour accueillir un campement, je crois que ce n'est même plus la peine de l'imaginer. Notre expédition a bel et bien été une « dernière ». Quand j'y pense, j'ai l'estomac qui se noue. C'était si joli, si vous saviez… Et si important ! Vous pensiez peut-être que ce n'était que de la glace, mais c'était, vous le savez désormais, beaucoup plus. « C'est une triste chose de songer que la nature parle et que le genre humain n'écoute pas » écrivait Victor Hugo. Oui, une bien triste chose, qui ne restera pas sans conséquences.

Alors, non, ne me parlez plus d'écologie. Moins encore de pédagogie, de sensibilisation, de robinet à fermer, de déchet à trier… Et que je n'entende pas accuser le voisin, le nanti, l'industriel, le Chinois ! Nul n'est plus coupable qu'un autre ; le système, on l'entretient tous, on a tous vaporisé notre quadruple dose de CO2 dans l'atmosphère, on s'est tous comportés comme des singes égoïstes. Le mal n'a jamais été ailleurs que dans ce que nous n'avons pas donné. Et le résultat, c'est un océan Arctique qui va atteindre des températures positives en été, qui va précipiter l'écoulement des calottes glaciaires de l'hémisphère nord, faire fondre des milliards de tonnes d'hydrates de méthane qui augmenteront encore l'effet de serre, et ralentir les courants océaniques qui oxygéneront insuffisamment les océans et n'assureront plus leur rôle de régulateur thermique.

Août 2012 nous a apporté une autre sinistre nouvelle, conséquence d'une même imbécillité : l'organisation qui chaque année calcule l'empreinte écologique de l'homme sur la planète a communiqué qu'au 22 août, soit 36 jours plus tôt que l'année précédente, le genre humain avait consommé la totalité des ressources dont il dispose annuellement. Nous ne sommes pas sortis de l'été que nous vivons déjà à crédit, prélevant plus que la Terre ne peut donner. Qui remboursera ? La croissance de la population, de l'urbanisation, associée à la destruction des milieux naturels et à la baisse des surfaces productives, y est pour beaucoup, et ce qui advient simultanément aux glaces nous garantit des lendemains pour le moins hasardeux. La hausse du coût des matières premières accentue les tensions et pousse les compagnies industrielles à aller chercher plus loin encore les ressources, plus profond, mais avec un objectif toujours aussi superficiel et immédiat comme sont immédiats et superficiels les besoins qui les réclament. Nous accélérons le temps et la Terre accélère aussi : juste retour des choses.

Cet été là, tandis que la banquise s'effaçait en silence, se poursuivaient avec force bruit les Jeux Olympiques de Londres. La fascination de la société moderne pour les événements sportifs illustre la perte générale du sens, et l'impuissance totale du système face à ce qui n'est pas directement de son ressort. Quand le sens fait défaut et qu'il faut avancer quand même, que fait-on ? On tourne en rond. Et dans un monde obnubilé par la performance, on cherchera à tourner en rond le plus vite possible. De toutes les disciplines des jeux Olympiques, il n'en est pas une où le compétiteur ne termine son épreuve à l'endroit où il l'a commencée : bassin, piste, tapis, etc. Soit l'on reste au même point, soit on en part et on en revient, mais jamais il n'y a évolution ou traversée, jamais transformation.

Parce qu'il est clos par essence, un système ne sait que répéter ce qu'il produit déjà. Les athlètes étant les acteurs d'un tel système, ils feront toujours la même chose, maintenant ou dans dix-mille ans, tourneront autour de la même piste, s'affronteront sur un terrain identique, en quête d'un même podium. Pour introduire la nouveauté il faut passer du clos à l'ouvert, de l'insensible au sensible, ce que fait seulement celui dont l'objectif implique un cheminement. Ce que recherche un voyageur, sportif ou non, est ouvert, tend vers le neuf incarné par le lieu ou la personne qu'il ne connaît pas encore, la satisfaction recherchée ne se traduisant pas par un score et une reconnaissance officielle, mais par des plaisirs plus intérieurs, physiques, esthétiques et moraux. Le jeu est acculturel parce qu'il ne contient pas de projection en direction d'autres possibles que celui qu'il propose par le jeu même ; à l'opposé, le voyage est culturel car il se tourne vers le monde, comme en témoigne le nombre considérable de récits qu'il inspire. Les jeux Olympiques ont toutes les raisons d'exister ; l'inquiétant, c'est que ces jeux sont à l'image de ce à quoi aspire la société tout entière : à se rendre du point A au point A, autrement dit, à ne pas évoluer, alors que les crises que nous connaissons imposent précisément le contraire.

En matière de progrès, la science n'est malheureusement plus à la hauteur. Elle aussi, piétine. On peut dire que dans sa manière d'aborder le réel, elle ne s'est pas renouvelée depuis Descartes. Et les disciplines ont atteint de tels degrés de spécialisation qu'elles ne communiquent plus entre elles et plutôt que d'ouvrir le champ des possibles, ne font que creuser leur propre objet. Le progrès est bel et bien en panne, comme l'illustre cette grande agitation de monde qui donne le sentiment que le temps s'est accéléré, signe non pas d'une évolution mais d'une fuite en avant.

Nous cherchons à vivre en épousant une forme préétablie, gardant nos distances vis-à-vis de ce qui serait susceptible de nous questionner, et préférant nous focaliser sur des avancements technologiques ou des sorties de « nouveautés » qui, même en art, n'ont plus rien de nouveau. Le climat n'est jamais fixe, la vie elle-même est l'antithèse de ce dans quoi nous nous sommes enfermés. Les espèces animales et végétales se créent, évoluent et disparaissent – à un rythme actuellement mille fois supérieur à la normale, pour les disparitions bien sûr – montrant que l'évolution naturelle est un système sensible et ouvert. Quand une espèce a conquis un autre milieu, a évolué, elle ne retourne pas d'où elle est partie pour mesurer à quelle vitesse elle l'a fait. Quand une espèce disparaît, elle ne revient pas sur un coup de sifflet sur la ligne de départ. De même pour la banquise : elle n'est pas figée sur le toit du monde, elle respire, se développe ou se rétracte, évolue sans cesse et si elle disparaît, elle ne reviendra pas, pas en tout cas à notre échelle de temps. Dans un système ouvert, tout est possible. Aujourd'hui, alors que tout devrait être repris de fond en comble, plus rien n'est possible, il n'a même jamais été aussi difficile d'agir et de réaliser ses projets, parce que nous n'avons jamais été dans un monde aussi clos, verrouillé par le résultat comptable, et qui tourne invariablement, sur une piste, dans les affaires ou en orbite, en rond.

Quand il parle de « confinement de l'intellect » et d'un homme fasciné par la performance au détriment du sens, Barry Lopez voit juste. Lorsqu'il insinue que l'Occident a atteint son apogée à l'âge des cathédrales et que depuis il n'a fait que régresser, il grossit à peine le trait. À cette époque, l'homme évoluait au diapason de la nature. À présent le plus grave n'est même pas qu'il pense pouvoir se nourrir avec des téraoctets et des mégapixels, le plus grave c'est qu'il n'évolue même plus, que dans sa quête schizophrénique de performance il ne fait qu'accuser le cloisonnement de son esprit. L'été dernier, tandis qu'à Londres l'humanité s'auto-décernait des médailles en effectuant du surplace, la Terre, en laissant le froid s'échapper, faisait un pas de géant vers le futur. Un jeu vraiment amusant et pour le moins utile serait de tout mettre en œuvre pour rattraper le décalage.

Alors, dans nos boîtes, il arrive que nous nous sentions à l'étroit. Nous ne voyons plus les liens, le sens, la joie, la nouveauté en l'autre, en soi-même. Un inconfort indéfinissable s'est installé, une attente jamais clairement formulée, attente si paresseuse qu'elle nous fait préférer l'enfer de la neutralité au bonheur de l'action juste. La nature est en train de quitter son poste et ne sera bientôt plus en mesure de contrebalancer nos frasques. Nous ne pourrons donc compter que sur nous-mêmes. Or nous nous comportons encore, pour l'immense majorité d'entre nous, comme les dévoués d'un ordre obtus et prédateur, planificateur en chef de la destruction des beautés de la Terre et des lumières de la vie. Toute notre belle énergie, nous l'employons à obéir, à entretenir ou à développer ce qui nous dévoie et nous sape. Nous ne survivrons pas, personne d'entre nous, si nous ne consacrons pas immédiatement une part substantielle de cette énergie à une cause qui a du sens, qui retend les liens et réactive le mouvement de l'histoire.

Notre chance, c'est l'alerte écologique. Le temps des prises de position qui ne mènent à rien est révolu, seul l'alarmisme peut lever les énergies. Bien plus que d'être nécessaire, l'alarmisme est terriblement justifié, car nous allons, et il n'est pas un jour où la presse ne le rappelle, vers un effondrement imminent et irréversible des grands écosystèmes. Et survivra qui pourra. Il faut incontestablement et de tout urgence tirer sur la poignée pour stopper l'emballement de la machine qui nous précipite à l'aveugle vers un lendemain dénaturé, informe. L'apparition d'un danger imminent et impérieux a toujours été nécessaire aux individus pour qu'ils se réveillent, regardent autour d'eux, se serrent les coudes et avancent ensemble, non par humanisme, mais poussés par la force des circonstances. Une déclaration de guerre, une catastrophe majeure, n'ont jamais eu qu'une seule réponse efficace : la mobilisation générale. Un discours ne se justifie que s'il presse à cette mobilisation. Toute velléité d'aménagement au rabais, campagne de sensibilisation ou contrainte légale, est totale vanité, la Terre se fout de nos arrangements d'arrière-cour. Oui, il faut, impérativement, de l'alarmisme, un alarmisme furieux, faramineux, démiurgique, biblique, car nous devons entrer en guerre contre nous-mêmes, pour renouer contact, renouveler nos élites, inventer des stratégies toutes différentes, nous débarrasser de l'objet qui nous envahit, nous dirige, nous fige, et du cortège d'idioties qui nous effrayent sans raison. Il est illusoire d'imaginer que nous inverserons la tendance par des compromis : il faut rompre. C'est là toute la difficulté, rompre avec les idées stériles, les habitudes périmées, mais il faut rompre et pour cela, commencer par se projeter dans ce qu'il y aura après. Après commence par un rêve, un rêve qui n'est pas que le mien, qui est le nôtre, un rêve tout simple à réaliser dès lors que par la volonté nous le rendons possible. Préparer le retour de l'harmonie a un sens, pour nous y aider la nature est là. Nous devons visualiser le tunnel sombre et nous y engager en oubliant d'où nous venons, ce que nous quittons, s'avancer avec passion, enthousiasme et insistance, alors nous traverserons le tunnel et le verrons poindre, enfin, ce Nouveau Monde.

Épilogue

LA VOIX DES GLACES

« **Trop étendue, j'étais un tyran.** Pour vous, je me suis stabilisée. Sans moi, vous êtes perdus.

N'imaginez pas que la fusion me fasse souffrir. Je ne suis pas faite de chair. Mais je syncrétise la pensée. Mes torrents peuvent être des larmes, car il y a toujours à pleurer de ces flots de vie qui chaque printemps éclosent, pour mourir presque aussitôt. À présent, mes larmes m'emportent et gonflent les océans. Des océans de larmes pour noyer vos maisons et vos terres. Mais ne vous plaignez pas ! Vous m'avez donné tant de chagrin.

Vous avez réduit la nature en esclavage. Vous avez utilisé votre intelligence pour créer un monde abstrait et distant, duquel l'intuition a été bannie. La nature est devenue impuissante à vous réguler, et vous, épris de vous-mêmes, vous vous êtes agrandis, agrandis. Sans plus rien entendre des Lois. Le pouvoir dont vous vous étiez emparés vous commandait la sagesse. Vous ne pouviez en faire l'économie, la sagesse était obligatoire ! Vous l'avez méprisée. Tant pis. Je suis le frisson de Dieu.

Vous ne pouviez pas me saisir, non ! Mais ceux qui le désiraient vraiment pouvaient me caresser. Mon contact, mon odeur, leur a fait pressentir la mort, et pourtant ils sont venus. Ils m'aimaient. Je n'ai retenu que les plus maladroits, les imprudents. Il fallait bien que je rappelle qui je suis ! J'ai laissé passer les autres, et n'en ai conservé aucune trace. Jusqu'à ce que vous contaminiez la neige, j'étais vierge.

Votre corps, je le questionne et le contrains, c'est vrai, à se ramasser. Mais en surchauffant vos cloisons pour me chasser, vous faites un mauvais calcul. La chaleur artificielle qui un instant vous rassure, me fait tomber, et ma chute vous entraîne. Mais dans quelques milliers d'années, soyez-en sûrs, je reviendrai. Triste, car la Terre me paraîtra vide. Vous ne serez plus là.

Parce que la nature était docile, vous vous l'êtes disputée, au plus fort la meilleure part. Vous vous êtes crus seuls au monde. Vous n'étiez pas seuls. Je veillais. Mais à présent je m'en vais. Entendez-vous ? Je m'en vais !

Oh, riez ! Voilà les richesses dont je défendais l'accès bientôt livrées à vos mâchoires. Encore un peu de patience, que je finisse de replier mon manteau, et elles seront à vous. Vous épuiserez les Pôles comme vous avez épuisé les tropiques, et vous disparaîtrez, comme moi. Mais contrairement à vous, je vous l'ai dit, je ne souffre pas. Dans l'agonie, je ne hurle pas. Je soupire.

Voyez comme vous étiez libres. Les plaines, les vallées, même les montagnes, par votre génie, se changeaient en édens. Plus retorse, la mer ne vous en a pas moins nourri, et un peu de courage vous suffit à l'apprivoiser. Vous aviez tout ! Les grains, les chevaux, l'or et les matériaux pour vous permettre de construire. La création n'a pas été aussi généreuse avec moi ! Je n'ai eu que les falaises à racler. Maigre pitance.

La nature crée. La nature donne, reprend, puis donne encore. Elle ignore le calcul. Vous pouviez bien, pour vos commerces, inventer l'argent, mais vous vous êtes mis à tout convertir en argent. La nature donnait sans compter. Vous aviez, en plus de l'intelligence, la conscience. La conscience était la plus importante, votre garde-fou. Qu'en avez-vous fait ? Les excès de vos prédécesseurs n'impliquaient qu'eux-mêmes. Oui, ils abattaient les forêts pour se faire de la place, mais moi, ils ne me portaient pas atteinte. Mon seul nom les remplissait de terreur. Je maintenais le monde en équilibre, et il ne vacillait pas. Je l'avais en main, le monde, il tenait dans mon étau !

Il glisse, à présent…

Vous vous améliorez, prétendez-vous. Vous retenez, croyant me faire plaisir, quelques bouffées de gaz ici, pour en relâcher bien d'autres ailleurs. Vous pensez me berner ? Regardez-moi : ai-je l'air convaincue ? Je fonds. La convoitise, l'intellect, le faux se sont emparés du pouvoir. Vous avez obéi à des technocrates, pris pour modèle des chevaliers du néant. Vous vous êtes déchirés à qui possédera le plus. Je vous exigeais intègres, justes, audacieux, rigoureux, clairs. Je vous rêvais aimants.

Être étrangère à vos commerces ne me rendait pas moins importante. J'étais essentielle. Votre jeu ne pourra se poursuivre sans moi. Je vous l'avais pourtant fait comprendre : il ne suffisait pas de jouer. Je me moque de vos peurs misérables et de vos projets communs. J'ignore la pitié. Tant que vous ne faites pas l'effort de vivre au-dessus de vous-mêmes, vous ne comptez pour rien. Moi, j'élève comme je tue. Je suis la paume de l'infini posée sur vos têtes.

En me cantonnant aux Pôles et aux altitudes, je laissais la place libre au vivant que je pouvais contempler : sous mes yeux, il a pris mille formes. Je l'ai protégé du feu, je l'ai affermi à mon haleine. Mais toi, animal à qui je n'ai pas donné de fourrure afin que tu inventes, tu m'as trahi. Ton progrès a fait croître l'épaisseur de tes murs, mais ne t'a pas rapproché de mes hauteurs. Tu as détruit ce que je laissais se créer par la lenteur du temps. Tu as vidé les tropiques de leurs fortunes et maintenant, c'est vers moi que tu tournes ta prunelle avide. Je n'incrimine pas les aventuriers qui m'ont foulée. Eux n'ont pas eu peur. Mais toi, le marchand, l'assassin, le vautour qui te prépare à me dépouiller, crois-tu que je vais te laisser faire ? Mon amant s'appelle l'orage.

Prends garde à sa colère quand il me verra perdue.

Bientôt, tu fendras ma tombe. Les hélices de tes cargos la balafreront. Tu y enfonceras des pieux de métal pour te gorger du jus pourri de la Terre. Triste alcool. Fatale tentation. Tes fumées grasses ont pénétré jusque dans mes veines, y ont injecté leur fétide venin. Je ne m'en nettoierai qu'en quittant ce monde qui n'est plus le mien, mais ton monde. J'étais descendue te montrer le chemin ; à présent, je remonte. Mon père était le ciel. Il tranchera.

Tu souhaitais pour tes enfants une vie meilleure, mais tu leur as préparé la fournaise. Je comptais autant que le sol, que l'air. J'étais élément, mère des torrents de montagne, émissaire de la vie, déesse des tourments. Sais-tu quelles affres traverseront tes enfants, avant de mourir ? Non, je ne m'en amuse pas. Vois, je m'effondre.

J'étais la conscience. Ta conscience. Gardienne du miracle d'être. Sans moi tu ne seras plus homme, tu ne seras même plus bête. Tu ne seras plus.

Mais je suis encore là, pour de brèves années. La chance que je te laisse ne tient plus qu'à une minute que cette fois, il ne te faut surtout pas laisser filer. Une minute pour moi ; pour toi une ou deux vies. Le temps que ton esprit se reprenne. Qu'il s'avance, qu'il s'impose. Pour me sauver, moi, plus précieuse que tes fils. Tu vas te redresser, t'exposer et te battre. Te donner, comme la Terre t'a donné.

Alors, sur mon trône d'altitude, peut-être, je me rétablirai. »

Pour visionner le court métrage *La voix des glaces,*
pour soutenir l'approche développée dans ce texte
ou rejoindre les Cavaliers de l'orage :

www.lescavaliersdelorage.fr

Notes et commentaires

Merci de retranscrire vos appréciations et de les partager en ligne.

Achevé d'imprimer en septembre 2012
sur les presses de la Nouvelle Imprimerie Laballery
58500 Clamecy
Dépôt légal : septembre 2012
Numéro d'impression : 209077

Imprimé en France

La Nouvelle Imprimerie Laballery est titulaire de la marque Imprim'Vert®